Wir
reisen
nach
Deutschland

Eric Marcus
UNIVERSITY OF BRIDGEPORT

HOLT, RINEHART and WINSTON   NEW YORK

Wir
reisen
nach
Deutschland

3439957
Printed in the United States of America
890 29 9876543

Preface

WIR REISEN NACH DEUTSCHLAND is designed for use at an early stage of instruction, as soon as the student has absorbed the basic elements of German grammar and structure. A completely conversational format has been used to interest and stimulate the student during the learning process.

Two young Americans embark upon a trip through Germany, guided by two German friends. The travelers describe the sights of modern Germany and refer to the events and personalities of the nation's past. The student shares their experiences and observations through this series of simple but lively conversations.

The enjoyment and benefit that may be derived from the book can be greatly increased if each chapter is read aloud in class, with students assigned to read each of the parts. The question, translation, and picture-description exercises are intended to challenge the student to improve his language skills. Tapes are also available to enhance the opportunity inherent in the book to improve the student's conversational ability in the language. While no grammatical exercises are included in the text, the tapes permit pattern drill on specific grammatical and structural points and are always based on the text.

Because of the limitations of this book, the author had to choose among various parts of Germany. In his final selection he was guided by the aim of giving the student a sense of the tradition that binds the Germany of Goethe and Beethoven to the modern nation. In the natural course of their conversations, the young Americans and their German friends reach from the present into the past; the sightseers become "insight-seers." Thus, important elements of German cultural life of the past have been woven into the pattern of the text without appearing to be facts which must be learned. It is hoped, nevertheless, that the student will retain at least some of the knowledge of German civilization with which he has become acquainted.

In assembling the necessary information for this book, the author has greatly benefited from the kind assistance of several organizations and persons. Ample documentation was provided by Mr. Frank F. Schwarzenstein, associate director of the *Deutsche Zentrale für Fremdenverkehr* in Frankfurt. Several large German cities furnished excellent photographic and documentary material about the reconstruction of their communities.

I particularly wish to thank Mrs. Elizabeth Bischoff, teacher of German at Central High School in Bridgeport, Conn., for having assembled with great care the vocabulary for this book. The author is also indebted to others—above all, his wife—who have read the manuscript and have given him valuable advice.

E. M.

Bildnachweis (Credits)

S. 1: Lufthansa Archiv. S. 3: German Tourist Information Office. S. 5: German Tourist Information Office. S. 9: German Information Center. S. 15: Dr. Wolff & Tritschler. S. 16: Verkehrsamt der Stadt Köln. S. 21: German Information Center. S. 23: German Tourist Information Office. S. 26: Fritz Henle from Monkmeyer Press Photo Service. S. 29: Dr. Wolff & Tritschler. S. 35: German Tourist Information Office. S. 36: Landesbildstelle Württemberg. S. 42: German Information Center. S. 44–45: German Tourist Information Office. S. 50–51: Dr. Wolff & Tritschler. S. 55: Fritz Henle from Monkmeyer Press Photo Service. S. 61: Dr. Wolff & Tritschler. S. 62: German Information Center. S. 65: German Tourist Information Office. S. 67: German Information Center. S. 68: Bodo-Ulrich Bavaria—Roy Bernard Co., Inc. S. 70: German Tourist Information Office. S. 74–75: L. Windstosser, Stuttgart. S. 77: German Tourist Information Office. S. 79: Fritz Henle from Monkmeyer Press Photo Service. S. 81: German Tourist Information Office. S. 85: German Information Center. S. 86: German Tourist Information Office. S. 91: Photohaus Becker, Garmisch-Partenkirchen. S. 92: Fritz Henle from Monkmeyer Press Photo Service. S. 93: L. Windstosser, Stuttgart. S. 94: German Tourist Information Office. S. 95: Fritz Henle from Monkmeyer Press Photo Service. S. 98: German Tourist Information Office. S. 101: Dr. Wolff & Tritschler. S. 102: German Tourist Information Office. S. 104: Dr. Wolff & Tritschler. S. 109: Fritz Henle from Monkmeyer Press Photo Service. S. 112: German Tourist Information Office. S. 115: Fritz Henle from Monkmeyer Press Photo Service. S. 117: German Tourist Information Office. S. 119: Dr. Wolff & Tritschler. S. 120: German Tourist Information Office. S. 123: German Tourist Information Office. S. 125: Fritz Henle from Monkmeyer Press Photo Service. S. 127: German Tourist Information Office. S. 128: German Tourist Information Office. S. 129: Roy Bernard Co., Inc. S. 133: German Tourist Information Office. S. 134: German Tourist Information Office. S. 135: German Tourist Information Office. S. 137: German Tourist Information Office.

Inhaltsverzeichnis

Wir
reisen
nach
Deutschland

1 Ankunft in Düsseldorf

HANSJÜRGEN	Herzlich willkommen in Deutschland!
HILDE	Schön von Ihnen, David, daß Sie auch Ihre Schwester mitgebracht haben!
DAVID	Ich freue mich, Sie beide wiederzusehen. Meine Schwester Barbara brauche ich ja 5 wohl nicht vorzustellen. Sie kennen sie bereits aus Photos . . .
HILDE	Wirklich, sie sieht genau so aus wie auf den Bildern.
HANSJÜRGEN	Vielleicht *noch* ein bißchen hübscher, 10 scheint mir . . .
DAVID	Immer langsam voran, alter Schmeichler!

Auf der Königsallee

BARBARA	(*Lacht—alle lachen herzlich*)
HANSJÜRGEN	Wie war denn der Flug über den großen Teich? Sind Sie nicht sehr müde?
BARBARA	Nicht ein bißchen. Nur siebeneinhalb Stunden Flugzeit, die ist wie im Flug ver- 5 gangen . . .
HILDE	Nun müssen wir aber erst einmal das „Willkommen in Deutschland" feiern.
HANSJÜRGEN	Also auf in die Kö . . .

Kapitel 1

HILDE	Hansjürgen meint die Königsallee.[1] Das ist nämlich unsere schönste Straße hier in Düsseldorf.
HANSJÜRGEN	Mein Volkswagen steht draußen. Ein bißchen eng ist er zwar für vier, aber ganz gemütlich . . .[2]
DAVID	Bei Euch Deutschen ist das immer noch die Hauptsache: gemütlich.
HANSJÜRGEN	Gemütlich war gut—schnell ist besser— sagen wir seit dem Wirtschaftswunder . . .
BARBARA	Auf deutsch: Time is money, nicht wahr? *(Alle lachen)*

In der Königsallee

DAVID	Seitdem ich das letzte Mal hier war, hat sich das aber mächtig verändert!
HILDE	Ruinen aus dem letzten Weltkrieg werden Sie bei uns kaum noch finden. Alles längst wieder aufgebaut!
BARBARA	Das sieht ja hier fast so aus wie auf der Fifth Avenue. Nur können wir da nicht auf der Terrasse sitzen und Kaffee trinken.
HANSJÜRGEN	Wir haben hier sogar Filialen von berühmten Pariser und New Yorker Geschäften.
HILDE	Düsseldorf ist doch das Zentrum der Rhein-Ruhr Industrie. Auf der einen Seite der Königsallee, dort drüben, da sehen Sie die stolzen Bürohäuser der Schwerindustrie, auf der andern hier die elegantesten Geschäfte in der Bundesrepublik heute.

[1] Königsallee: *Name of the main artery of Düsseldorf.*
[2] gemütlich: *Conveys a good many connotations, not only of coziness and the feeling of being at home, but also of taking it easy.*

3

HANSJÜRGEN (*Lacht*)	Als Ihr offizieller Reiseführer darf ich mit Stolz erklären: „Meine Damen und Herren—auf jener Seite der Kö verdienen die Männer das Geld, auf dieser Seite der Straße geben die Frauen dieser Männer das Geld wieder aus . . ." 5
BARBARA	Na ja, echt amerikanisch. Das Geld muß rollen, dann blüht die Wirtschaft.
HILDE	Haben Sie auch so schöne alte Bäume wie wir hier auf beiden Seiten der Kö drüben 10 auf der Fifth?
BARBARA	O nein. Nur ein paar arme Krüppel. Die haben keinen rechten Platz zu wachsen und zu grünen zwischen den Steingiganten. 15
HANSJÜRGEN	Bei uns geht das nicht ohne Bäume und Blumen. Bäume auf allen Straßen und Plätzen, und Blumen auf allen Balkons.
DAVID	Na ja, Ihr seid doch noch immer im Grunde die unverbesserlich romantischen 20 Deutschen.
HILDE	(*Halb ironisch, halb ernst*): Der Mensch kann doch nicht von Brot und Butter allein leben.[3] Etwas muß er doch auch für sein Gemüt haben . . . 25
BARBARA	Was machen denn diese beiden Jungen da auf der Straße? Sind das Akrobaten?
HANSJÜRGEN	Sie schlagen Rad, um die Passanten zu unterhalten.[4] Dafür wollen sie als Belohnung ein paar Pfennige einkassieren. Das 30 Radschlagen ist ein alter Düsseldorfer Brauch . . .

[3] *The famous quotation from the Bible "Man does not live by bread alone" has been supplemented here by "and butter."*
[4] Sie schlagen Rad: *They perform a cartwheel for the entertainment of the passers-by.*

4

HILDE	Schon vor hundertfünfzig Jahren hat unser Heinrich Heine[5] die Geschicklichkeit der Radschläger bewundert.
BARBARA	Ich weiß, Heine hat die Lorelei gedichtet, und das ist am Rhein. Hat er denn in 5 Düsseldorf gelebt?
HANSJÜRGEN	Er wurde doch hier geboren! In der Bolkerstraße in der Altstadt steht sein Geburtshaus . . .
BARBARA	Das muß ich aber sehen! 10
HILDE	Natürlich werden wir Ihnen Heines Geburtshaus und die Altstadt von Düsseldorf zeigen. Die alten engen Gassen[6] am Rhein aus der Barockzeit und die breiten, modernen Alleen von heute, das ist Düs- 15 seldorf.

[5] Heinrich Heine: *German poet born in 1797 in Düsseldorf, died in 1856 in Paris. One of his most familiar poems is 'Die Lorelei.'*
[6] Gasse: *Designating a narrow street; is still being used in Austria and some parts of southern Germany.*

HANSJÜRGEN	Ja, so sind wir Deutsche. „Zwei Seelen wohnen, ach, in unserer Brust."[7] Die eine hängt am Alten, die andere will das Neue, das Neueste . . .
HILDE	Ob alt oder neu, jeder Rheinländer liebt 5 das Leben und alles, was dieses Leben schön und lebenswert macht.
HANSJÜRGEN	Darum haben wir so gute Kunst und so viel gutes Theater hier.
BARBARA	Theater, o Theater, das interessiert mich 10 am meisten!
DAVID	Kein Wunder, meine Schwester ist doch eine begeisterte Drama-Studentin. Aktives Mitglied des drama workshop ihrer Universität. 15
HILDE	Also dann sollten wir heute abend ins Opernhaus oder ins Schauspielhaus oder ins Kom (m) ödchen[8] gehen!
DAVID	Kommödchen, Kommödchen? Waren die nicht vor kurzem zu einem Gastspiel in 20 New York?
HILDE	Stimmt. Und unser Schauspielhaus war auch vor kurzem in New York zu einem zweiwöchigen Gastspiel, mit Lessings „Nathan der Weise"[9] und Hauptmanns „Vor 25 Sonnenuntergang."[10]
BARBARA	Und was spielt das Kommödchen?
HILDE	Das ist ein politisch-satirisches Kabarett. Ein halbes Dutzend junge Leute, alle sehr

[7] Zwei Seelen wohnen . . . *"Two souls, alas, are living in my breast," quotation from Goethe's "Faust" (part I).*

[8] Kom(m)ödchen: *a conglomerate of Komödie and little Kommode (chest of drawers), the latter referring to the various genres of artistic satire performed in a cabaret theatre.*

[9] Nathan der Weise: *Nathan the Sage, a drama on religious tolerance by Gotthold Ephraim Lessing (1729–1781), one of the great German classicists.*

[10] Vor Sonnenuntergang: *Before Sunset, one of the late dramas by Gerhart Hauptmann (1862–1946), leader of German naturalism.*

6

	begabt, mockieren sich scharf und witzig in chansons und sketches über alles, was zur Zeit bei uns und in der Welt draußen geschieht.
HANSJÜRGEN	Das politische Kabarett ist eine deutsche 5 Spezialität. Überall in den großen Städten, in München, Frankfurt, Köln, und natürlich auch in Berlin, gibt es Kabaretts dieser Art.
HILDE	Das beweist, daß wir Deutsche gar nicht 10 alles so furchtbar ernst nehmen, wie es die Welt von uns glaubt ... Wir lachen gern, auch über uns selbst.
DAVID	Aber das Kabarett ist erst heute abend. Was machen wir am Nachmittag? 15
HILDE	Ich schlage folgendes Programm vor: 1. Besichtigung der Altstadt, 2. Besuch bei den Düsseldorfer Malern. Erst sehen wir uns ihre Bilder an, dann die Maler selbst in Fleisch und Blut ... 20
HANSJÜRGEN	Wir haben nämlich eine ganze Malerkolonie hier, und sie haben ihren eigenen Klub am Hofgarten, den Malkasten.[11] Wie schade, daß nicht heute abend ein Künstlerball[12] ist ... 25
BARBARA	Wunderbare Idee! Ich möchte nämlich für mein Leben gern einmal gemalt werden.
DAVID	Und dann im Metropolitan Museum in New York hängen ... 30
BARBARA	Scheusal. So etwas zum Bruder zu haben ...!

[11] Malkasten: *The Paintbox, as an artists' club, has a history of about one hundred years.*
[12] Künstlerball: *The masquerade balls offered by the artists of Malkasten are a social event in the Rhineland.*

Fragen

1. Ist David zum ersten Mal in Deutschland? 2. Woher kennen Hansjürgen und Hilde Davids Schwester Barbara? 3. Wie lange hat der Flug über den großen Teich gedauert? 4. Was ist die Kö? 5. Wie ist der Volkswagen? 6. Was kann man auf der Fifth Avenue nicht, aber auf der Kö? 7. Woher kommt der Reichtum der Stadt Düsseldorf? 8. Was brauchen die Deutschen, um glücklich zu sein, nach der Meinung Hansjürgens? 9. Welchen alten Brauch kann man noch heute auf der Kö finden? 10. Für welche Industrie ist Düsseldorf das Zentrum geworden? 11. Warum interessiert sich Barbara besonders für das Theater? 12. Wo findet man ein politisches Kabarett? 13. Was kann man dort hören? 14. Was ist der „Malkasten" in Düsseldorf? 15. Wodurch kennen die New Yorker das Düsseldorfer Theater?

Übersetzungsübung

The translation exercises are based upon vocabulary and phrases used in the chapter to which they refer. Locate the appropriate expressions and idioms and keep as closely as possible to the conversational pattern provided in each chapter.

1. It is very nice of you to bring along your family, too. 2. I think I don't need to introduce my good friend. 3. You look exactly as on your snapshots. 4. Time flies. It has always flown. 5. With him money is still the main thing. 6. What a change since I was here the last time! 7. The men make money and their wives spend it. 8. In our country things don't work out so easily. 9. Nobody can live by bread alone. 10. Two souls are living in our breast: The one clings to that which is old, the other to new things. 11. Most of all I am interested in the theatre. 12. Tell me about everything that happens in the world. 13. Germans don't always take things so seriously. 14. It is my heart's desire to be painted. 15. It's a pity that I can't show you these painters in person!

2 Bonn, die Bundeshauptstadt

Sitzung des Bundestags in Bonn

HILDE	Na, Barbara, wie hat's Ihnen denn in unserer Bundeshauptstadt gefallen? Sind Sie nicht ein bißchen enttäuscht?
BARBARA	Enttäuscht? Garnicht! Ich finde, Bonn ist eine sehr hübsche kleine Stadt. Und so 5 friedlich und ruhig.
HANSJÜRGEN	Soll eine Bundeshauptstadt friedlich und ruhig sein? Bonn ist doch nur unsere provisorische Hauptstadt. Wir sagen: unser Bundeshauptdorf. 10

DAVID	Und warum hat man gerade Bonn zur Hauptstadt der Bundesrepublik gemacht? Warum nicht eine der großen Städte wie Frankfurt oder Köln, Stuttgart oder München, Hannover oder Hamburg, da 5 Berlin nicht die Bundeshauptstadt bleiben konnte?
HANSJÜRGEN	Vor allem aus praktischen Gründen. In den großen Städten war doch fast alles nach dem Kriege zerstört. Man hatte 10 genug Sorgen damit, Hunderttausenden von Menschen wieder ein Dach über dem Kopf zu verschaffen.
HILDE	In Bonn war ja auch viel zerstört. Aber es gab noch reichlich Platz, große neue 15 Bauten am Rhein entlang für die Regierung und das Parlament zu errichten. Die Diplomaten konnte man in den schönen Villen zwischen Bonn und Bad Godesberg unterbringen. 20
BARBARA	Und von allen Fenstern können sie auf den Rhein und das grüne Siebengebirge[1] hinaussehen.
DAVID	Ein bißchen langweilig muß es aber doch für die Herren Diplomaten in Bonn sein, 25 denke ich mir. Was machen sie denn, wenn sie sich abends amüsieren wollen?
HANSJÜRGEN	Dann fahren sie nach Köln. Das ist nur ein Katzensprung. In Köln ist für Nachtleben und rheinischen Humor gesorgt . . . 30
BARBARA	Ich war heute nachmittag im Bundestag. Ich hatte Glück; denn es war gerade eine Abstimmung. Wissen Sie, was da die

[1] Siebengebirge: *The Seven Mountains, a mountain range of low altitude, on the right bank of the Rhine, facing Bonn and Bad Godesberg.*

Kapitel 2

	Abgeordneten getan haben? Anstatt die Hände zu heben, um für Ja oder Nein zu stimmen, gingen sie hinaus.
HILDE	Aber die einen gingen durch die Ja-Tür, und die andern gingen durch die Nein-Tür ...
DAVID	(*Lacht*) Gut für die Herren, daß sie sich ein bißchen Bewegung machen. Bei uns in Amerika gehen sie in der lobby spazieren!
HANSJÜRGEN	Mein Onkel Willi in Berlin hat mir einmal eine hübsche Anekdote erzählt: Es war gerade nach dem ersten Weltkrieg. Damals hatten wir die frischgebackene[2] Weimarer Republik. An der Berliner Universität gab es noch manche kaisertreue Professoren. Sie wollten von der neuen Republik nichts wissen und daher den Kontakt mit den andern Professoren, die für die Republik waren, vermeiden. So gingen sie immer durch die eine Tür hinein und heraus, die Nein-Tür, die Republikaner aber durch die Tür gegenüber, die Ja-Tür ... (*Alle lachen*)
BARBARA	Gibt's an der Bonner Universität heute noch Professoren, die lieber wieder einen Kaiser haben möchten?
HANSJÜRGEN	Vielleicht denken noch ein paar manchmal an die „gute, alte Zeit," als der letzte Kaiser, der Kronprinz und viele Aristokraten Studenten in Bonn waren. Ja, Bonn war einmal eine sehr feudale Universität. Aber das deutsche Kaiserreich

---

2 frischgebacken: "*freshly baked.*" *Backen is often used to denote things taken crisp from the oven, even for persons in the meaning of young and crisp, such as Backfisch = teenage girl.*

11

	ist begraben. Diesen Traum haben wir ausgeträumt . . .
HILDE	Statt dessen träumen manche heute von der Wiedervereinigung von Ost- und Westdeutschland.
DAVID	Das kann ich verstehen. Aber gesünder ist es wohl, statt von der schönen Vergangenheit zu träumen, praktisch für die Zukunft zu arbeiten. Die Vereinigung Europas ist doch bereits wirtschaftlich auf dem besten Wege zu ihrer Verwirklichung. Einmal muß es dann auch politisch die Vereinigten Staaten von Europa geben . . .
HANSJÜRGEN	Wir Deutsche haben zu viele Erinnerungen. Wir sind doch ein altes Volk, belastet mit einer zweitausendjährigen Geschichte.
HILDE	Ja, wenn man bedenkt, daß hier in Bonn schon die Römer auf einer keltischen Siedlung ein Lager bauten. Wenn wir heute durch die Römerstraße[3] gehen, so wissen wir, daß wir auf der Hauptstraße, der Via principalis,[4] des römischen Bonna sind.
BARBARA	Haben die Deutschen nicht recht, stolz auf ihre alte Familie zu sein? Bei uns ist man auch stolz darauf, von einer Pilgrim-Familie abzustammen.
HANSJÜRGEN	Und doch hat Goethe gesagt: „Amerika, du hast es besser!"[5] Er wußte, warum . . .
HILDE	Und unser Beethoven,[6] der hier in Bonn geboren wurde, liebte auch die Freiheit

[3] Römerstraße: *The Romans' street.*
[4] Via principalis: *Main street.*
[5] „Amerika, du hast es besser:" *"America—you are better off . . ." from Goethe's „Zahme Xenien."*
[6] Beethoven: *Ludwig van Beethoven (1770–1827), one of the greatest German composers. His last symphony, the ninth, uses a choir in its final movement.*

Das Beethovenhaus in Bonn

über alles. Er war schon ein guter Demokrat, als Deutschland noch eine Monarchie
war.

BARBARA Daran mußte ich immer denken, als ich
heute morgen in seinem Geburtshaus in 5
der Bonngasse war. Er haßte Napoleon,
weil der ein Tyrann wurde und die Freiheit fesselte. Für mich gibt es keine
schönere Musik als die Neunte Symphonie!

HILDE Geht es Ihnen auch so, daß Sie vor Freude 10
laut mitsingen möchten, wenn der Chor im
letzten Satz die Schiller-Hymne anstimmt:
„Freude, schöner Götterfunken, Tochter
aus Elysium . . ." (*Sie beginnt, leise die
Melodie zu singen*) 15

HANSJÜRGEN (*Nimmt die Melodie auf*) . . . „Alle Menschen werden Brüder" . . .

DAVID Ich glaube, der richtige Moment ist gekommen, unsere Brüderschaft mit einem
Glas echten Rheinwein zu feiern . . . 20

HANSJÜRGEN Ich kenne eine Weinstube, die hat den
besten Weinkeller in ganz Bonn . . .

Fragen

1. Warum gefällt Bonn der Amerikanerin Barbara so gut?
2. Wie denkt aber Hansjürgen über Bonn? 3. Warum ist
Bonn die Bundeshauptstadt geworden? 4. Wo wohnen die
Diplomaten? 5. Wie weit ist Köln von Bonn? 6. Was ist der
Bundestag? 7. Wie wird dort manchmal abgestimmt? 8. Wodurch ist Bonn eine berühmte Universität geworden? 9. Wie
alt ist Bonn? 10. Warum heißt eine Straße die Römerstraße?
11. Wessen Geburtshaus kann man noch heute in Bonn sehen?
12. Warum haßte Beethoven Napoleon? 13. Welches Werk
von ihm ist das schönste, nach Barbaras Meinung? 14. Wie

heißt der Dichter, der die Hymne „An die Freude" geschrieben hat? 15. Was sagt diese Hymne über die Brüderschaft der Menschen?

Übersetzungsübung

1. Tell me, how did you like it in Germany? 2. Why is it Bonn that has become the capital of the Federal Republic of Germany? 3. They had to worry enough about providing people with a roof over their heads. 4. They had to put up big new buildings along the Rhine. 5. From here you can look out to the Rhine and the Seven Mountains. 6. I assume it must be a little bit boring in the evening. 7. It's only a stone's throw from here to Cologne. 8. There they provide for night life and good humor. 9. There are people who don't want to hear anything about the Republic. 10. Do you sometimes think of the good old times? 11. In our country they are proud of coming from an old family. 12. Goethe, the greatest German poet, once said: "America, you are better off." 13. Does it also happen to you that you would like to sing aloud when you are overjoyed? 14. The choir begins to sing an old hymn. 15. This is the moment to celebrate our brotherhood.

Bonn: Sitz des Bundespräsidenten

Der Kölner Dom und eine der neuen Rheinbrücken

3 Köln, die Domstadt

BARBARA	Man kommt aus dem Bahnhof, und da steht schon der weltberühmte Dom. Das hatte ich nicht erwartet!
HANSJÜRGEN	Tausend Züge rollen täglich durch den Kölner Hauptbahnhof, und die Reisenden 5 können von den Fenstern ihres Zuges aus den Dom bewundern, auch wenn sie keine Zeit haben auszusteigen . . .
HILDE	Im letzten Kriege ist Köln durch Bomben furchtbar zerstört worden. Der Bahnhof 10 ging dabei in Trümmer, aber der Dom auf dem Bahnhofsplatz blieb stehen, wie durch ein Wunder!
HANSJÜRGEN	Er hat zwar einigen Schaden erlitten, aber die Wunden konnten bald geheilt werden. 15
DAVID	Man kann es kaum sehen, wo der Dom restauriert wurde.
HILDE	Man bemerkt es auch nicht, daß es 600

| | Jahre gedauert hat, um dieses Wunderwerk der Gotik zu Ende zu bauen. |

BARBARA   600 Jahre? Unmöglich!

HANSJÜRGEN   Und doch stimmt das! Im Jahre 1248 begann Meister Gebhard, ein rheinischer [5] Baumeister, den Bau nach seinen Plänen. Aber die Arbeiten gingen so langsam voran, daß dreihundert Jahre später nur ein halber Dom fertig war. Und das blieb so bis ins 19. Jahrhundert. [10]

HILDE   Als die großen Romantiker Coleridge und Victor Hugo[1] den romantischen Rhein besuchten, fanden sie in Köln eine verfallene Domruine . . .

DAVID   Wahrscheinlich fehlte den Kölnern das [15] Geld zum Bauen. Da hätten sie schon damals einen Marshall-Plan brauchen können!

HANSJÜRGEN   Richtig geraten! Darum machten die Kölner, was Ihr Amerikaner heute eine [20] „fund-raising campaign" nennt. Sie sammelten Geld, und es kamen 20 Millionen Mark zusammen.

HILDE   Der größte Spender für den katholischen Dom war der König von Preußen, ein [25] Protestant. Im Jahre 1880 war der Dom endlich fertig. Da stand er so, wie ihn Meister Gebhard sich erträumt hatte . . .

BARBARA   Wie kommt es denn, daß von den vielen Kathedralen in Deutschland Köln die [30] berühmteste ist?

HANSJÜRGEN   Wohl, weil der Kölner Dom Deutschlands größter und mächtigster Bau im rein gotischen Stil ist.

[1] Victor Hugo (1802–1885): *French poet, novelist and dramatist.*

18

HILDE	Aber wir haben Münster und Dome, die älter sind und reicher an Geschichte . . . Zum Beispiel das Aachener Münster, in dem Karl der Große im Jahre 800 zum Kaiser gekrönt wurde. Noch heute steht 5 dort sein Thron.
DAVID	Karl der Große, der einzige deutsche Kaiser, der auch der Herrscher über Frankreich war, nicht wahr?
BARBARA	Man sieht, daß mein Herr Bruder[2] Ge- 10 schichte studiert hat . . . In Mathematik war er nicht ganz so gut . . . *(Alle lachen)*
HILDE	Den Dom von Speyer am Rhein, den wir den Kaiserdom nennen, weil hier 22 15 deutsche Kaiser begraben sind, und den herrlichen Dom in Worms am Rhein, der Nibelungenstadt,[3] müßten Sie sehen, Barbara! Die sind fast tausend Jahre alt und stehen noch immer . . . 20
HANSJÜRGEN	Ich glaube, wir können hier in Köln alle Stile der Kirchenbaukunst studieren, vom ältesten bis zum neuesten. Wenn Sie das interessieren sollte . . . Köln hat wohl die meisten Kirchen von allen deutschen 25 Städten.
BARBARA	Und diese alten Kirchen sind noch erhalten, trotz Kriegen und Bomben? So gut erhalten wie der Dom?
HILDE	Leider nicht. Die älteste von allen, St. 30 Maria im Capitol, konnte nur zum Teil wiederaufgebaut werden.
BARBARA	Ein schöner Name: Sankt Maria im Capi-

---

[2] mein Herr Bruder: *Ironical use of "Herr" to express respect.*
[3] Nibelungenstadt: *City of the Nibelung, a German myth the hero of which was Siegfried.*

	tol! Eine christliche Kirche auf dem Capitol der heidnischen Römer, nicht wahr?
HANSJÜRGEN	Niemand weiß heute, ob die Römer wirklich ein Capitol hier erbaut hatten. Aber 5 Köln war ja eine große Kolonie der Römer und hieß darum Colonia. Das war schon eine blühende Stadt vor fast zweitausend Jahren, berühmt durch ihre schönen Glaswaren und ihre Keramik. 10
HILDE	Und die Nachkommen dieser Gallo-Römer machten Colonia zu einer der reichsten Handelsstädte Europas. Köln wurde eine mächtige Hansestadt[4] und freie Reichsstadt, die sich selbst regierte. 15
HANSJÜRGEN	Meine Damen und Herren! Jetzt wird es aber Zeit, daß wir uns Köln ansehen. Zunächst einmal von oben. Wir klettern auf den Südturm des Domes, und von 160 Metern Höhe aus können wir das Pano- 20 rama von ganz Köln und den Rhein bewundern, mit seinen weißen Dampfern, den vielen Frachtschiffen und den neuen Rheinbrücken, die über den Strom führen . . . 25
BARBARA	Mein Gott! Wir sollen da hinaufklettern? Gibt's denn keinen Aufzug?
HILDE	So amerikanisch sind wir noch nicht! Nur 500 Stufen—und oben sind wir . . .
HANSJÜRGEN	Wenn das gnädige Fräulein[5] keine Mor- 30 gengymnastik wünscht, sehen wir uns eben den Dom nur von innen an. Da gibt's

[4] Hansestadt: *City of the Hanse or Hansa, a league of 80 towns founded about 1250* (cf. Chapter 17).
[5] das gnädige Fräulein: (*lit. gracious miss*) *Formal address for a young lady, as gnädige Frau for a married woman.*

Panorama der Domstadt Köln

	genug Sehenswürdigkeiten! Zum Beispiel den berühmten Goldschrein der Heiligen Drei Könige und das herrliche Altarbild des Meisters Stefan Lochner[6] aus dem 15. Jahrhundert.
HILDE	Und wenn Sie dann noch mehr alte deutsche Kunst sehen wollen, gehen wir ins Wallraf-Richartz Museum, die National-galerie des Rheinlandes. Außerdem ist in Köln so viel moderne Kunst aller Art zu sehen.
DAVID	Offen gestanden, ich möchte mir lieber den Kölner Karneval ansehen, von dem ich so

5

10

[6] Stefan Lochner: *Died 1451, German religious painter, one of the best-loved German primitives.*

	viel gehört habe. Da muß es ja wirklich	
	lustig zugehen . . .	
HANSJÜRGEN	(*Lacht*) Karneval jetzt mitten im Sommer?	
	Da müssen Sie zur Fastnacht wiederkom-	
	men, im Februar.	5
HILDE	Jetzt können wir Sie nur in ein paar alte	
	rheinische Gaststätten führen, wo die	
	besten Köl'schen[7] Witze erzählt werden, im	
	rheinischen Dialekt natürlich . . .	
BARBARA	Und die müssen Sie uns dann ins Englische	10
	übersetzen, damit wir sie verstehen und	
	nach Amerika mitnehmen können.	
DAVID	Besser, Du kaufst dir ein paar Flaschen	
	echtes Eau de Cologne! Das ist leichter zu	
	exportieren . . .	15
	(*Alle lachen*)	

[7] Köl'sch: *Rhenish dialect for Kölnisch, of Cologne.*

Fragen

1. Ist der Kölner Dom im letzten Kriege durch Bomben zerstört worden? 2. Wie lange hat es gedauert, den Dom zu bauen?
3. Wieviel hat es gekostet, um den Dom fertigzustellen? 4. Warum ist der Kölner Dom so berühmt in Amerika? 5. Was kann man noch heute im Aachener Münster sehen? 6. Warum nennt man den Dom von Speyer den Kaiserdom? 7. Wie hieß Köln zur Römerzeit? 8. Wodurch war das Köln der Römerzeit berühmt? 9. Was war Köln im Mittelalter? 10. Von wo aus hat man eine schöne Aussicht auf die Stadt Köln und den Rhein? 11. Welche Sehenswürdigkeiten kann man im Innern des Domes bewundern? 12. Was kann man im Wallraf-Richartz Museum sehen? 13. Wo geht es in Köln wirklich lustig zu? 14. Warum kann man Kölnische Witze nicht gut exportieren? 15. Wodurch ist der Name Cologne in der ganzen Welt bekannt?

Beim Kölner Karneval

Übersetzungsübung

1. Germany was destroyed terribly during the last war.
2. Miraculously, the cathedral suffered only small damage.
3. It took 600 years to finish this masterpiece. 4. And yet, that
is exactly right! 5. They were running short of money. 6. I
had not visualized that fully. 7. If you would be interested in
it, I'll show it to you. 8. Of all German cities, Cologne probably
has the greatest number of churches. 9. Not all churches could
be reconstructed. 10. They made Cologne one of the richest
commercial cities in Europe. 11. A free imperial city governed
itself. 12. But now it is getting high time to have a look at
the city! 13. Tell me, is there no elevator at all? 14. That must
be a lot of fun! 15. To speak frankly, I would prefer not to
work.

Ein Rheindampfer legt an

4 Burgen am Rhein

BARBARA (*Singt leise*) (*Alle singen mit*)	„Ich weiß nicht, was soll es bedeuten, Daß ich so traurig bin. Ein Märchen aus alten Zeiten, Das kommt mir nicht aus dem Sinn."
DAVID	Ein schönes Lied—aber für meinen Ge- 5 schmack zu traurig!
HILDE	Die Leute auf unserm Dampfer waren doch sehr lustig, als sie alle beim Anblick des Loreleifelsens¹ die „Lorelei" sangen.
HANSJÜRGEN	Kein Wunder! Sie hatten alle schon genug 10 Rheinwein getrunken . . . (*Alle lachen herzlich*)
BARBARA	Mein armer Kopf ist ein Karussell. Darin dreht sich alles: Weinberge und Wein- gärten, liebliche Weindörfer und Burgen 15

¹ Lorelei: *Legendary German enchantress who, by her singing, caused sailors to wreck their boats on the rock named after her.*

25

Der Loreleifelsen

	und Burgruinen darüber, Felsen und Felsenriffe, und auf jedem sehe ich eine schöne Jungfrau, die kämmt sich ihr goldenes Haar . . .
DAVID	Ich glaube, mein Fräulein Schwester ist ⁵ sehkrank.² Sie hat zu viel gesehen. So eine Rheinreise zur Lorelei ist eben gefährlich—nicht nur für einen Schiffer im kleinen Boote . . .
HILDE	Ja, die Rheinfahrt von Koblenz nach ¹⁰ Bingen ist ein reiches Festmahl für die Augen. Das nimmt kein Ende . . .
HANSJÜRGEN	Haben Sie bemerkt, wie von Minute zu Minute das Bild sich ändert, wie bei jeder Biegung des Rheins eine neue Landschaft ¹⁵ vor uns erscheint, immer wieder eine neue Burg auftaucht, anders als die andern?
BARBARA	Sie alle scheinen aus der Landschaft herauszuwachsen, als ob sie von der Natur da hineingestellt wären. ²⁰
HILDE	Dazu hat die Natur Jahrhunderte gebraucht. Was Menschenhand gebaut hat, nahm die Natur in ihre Hand und paßte es sich an.
HANSJÜRGEN	Alle diese Burgen und Türme hoch über ²⁵ dem Rhein oder mitten im Strom auf einer Insel sind ja keine Schlösser, zum Vergnügen des Schloßherrn gebaut. Sie sind Festungen, die sich die Raubritter im Mittelalter erbauten, Zollstationen, an ³⁰ denen die vorüberfahrenden Schiffe ihren Zoll bezahlen mußten. Damit finanzierten diese Herren ihre Kriege und lebten gut dabei.

² sehkrank: *Sick of seeing (too much); a pun upon* seekrank - *seasick.*

27

DAVID	Aber im Mäuseturm möchte ich nicht leben und wie der Bischof Hatto von Mäusen aufgefressen werden . . .
HILDE	Ach, das ist ja nur eine Legende, eine von den vielen, die über jede Burg erzählt 5 werden. In Wirklichkeit war das kein Mäuseturm, sondern ein Mautturm, das heißt, ein Zollturm.
BARBARA	Und warum heißen zwei Burgen Katz und Maus? 10
HANSJÜRGEN	Weil die Katze mit der Maus gern Krieg spielte. Die Katze war die Burg eines Grafen Katzenellbogen, und als ein anderer Fürst sich in seiner Nachbarschaft auch eine Burg baute, wurde der Graf sehr 15 ärgerlich und schickte ihm eine Botschaft: „Meine Katz freut sich darauf, mit der armen kleinen Maus spielen zu können."
HILDE	Und so wurde aus Burg Thurmberg die 20 Maus. Erinnern Sie sich an die „Brüder," die beiden Zwillingsburgen, die dicht nebeneinander stehen? Ihre früheren Namen, Sternfels und Liebenstein, hat man längst vergessen . . . 25
HANSJÜRGEN	Und über diese Brüder erzählt man drei verschiedene Legenden. Sie gehen von Mund zu Mund, von Generation zu Generation, und niemand weiß, wer diese Legenden erfunden hat. 30
BARBARA	Das ist so wie mit den deutschen Volksliedern und Märchen, die alle anonym sind, nicht wahr?
DAVID	In unserm deutschen Schulbuch, aus dem ich Deutsch gelernt habe, standen auch 35 solche Volkslieder. Es war ein schönes

28

Burg Katz bei St. Goarshausen am Rhein

Bild dabei, das hieß „Des Knaben Wunderhorn"[3] . . .

HILDE   Ja, zwei deutsche Dichter, Arnim und
Brentano, haben alle diese Volkslieder und
Gedichte gesammelt, die meisten davon 5
hier am Rhein.   Die Romantik ist hier zu
Hause . . .

HANSJÜRGEN   Hier am Rhein ist auch die Quelle der
deutschen Geschichte, seit der Römerzeit.
Hier auf dem Königstuhl bei Koblenz 10
haben die sieben deutschen Kurfürsten im
Mittelalter den deutschen Kaiser gewählt.

BARBARA   Das ist ja so lange her . . . Nur noch Erinnerungen!   Es ist doch schade, daß alle
diese Burgen am Rhein nutzlos dastehen 15
und heute durch ihren Anblick nur die
Touristen erfreuen . . .

HILDE   O nein, Barbara.   Die meisten der Rheinburgen sind heute bewohnt.   Die einen
sind Jugendherbergen, andere sind Privat- 20
schulen, wieder andere dienen als Er-
holungsheime.

HANSJÜRGEN   Es gibt auch Burgen, die seit vielen Ge-
nerationen im Privatbesitz einer Familie
geblieben sind, und diese Familie wohnt 25
noch heute auf ihrer Burg über dem
Rhein.

DAVID   Und wovon leben sie dort?   Sie können
doch keinen Zoll von den Passanten er-
heben, wie einst die Fürsten und Bischöfe 30
und Ritter?

HILDE   Natürlich leben sie von ihren Weinbergen.   So wie in Frankreich die Châ-

[3] Des Knaben Wunderhorn: *The Boy's Magic Horn, title of the collection of folksongs by Achim von Arnim and Clemens Brentano.*

teaux-Weine[4] die feinsten und teuersten sind, so kommen auch am Rhein viele der besten Weine, die Riesling[5] und Spätlese,[6] von den Weinbergen der Schlösser.

BARBARA Das wäre doch eine herrliche Idee, sich 5 eine Burg am Rhein zu kaufen und dann den Wein nach Amerika zu exportieren!

HANSJÜRGEN (*Lacht*) Sie wären nicht die erste, die ihren Schloßwein über den Ozean exportiert. Otto von Habsburg,[7] der letzte Erbe der 10 Habsburger,[7] der jetzt in Amerika lebt, bekommt jedes Jahr 10% der gesamten Weinlese des berühmten Schlosses Johannisberg. Seit 150 Jahren versorgt die Familie des Fürsten Metternich,[8] der die 15 Burg gehört, die Habsburger mit Wein.

DAVID So viel Wein brauche ich garnicht. Eine einzige Flasche genügt mir, wenn ich sie nur gleich haben kann.

(*Alle lachen—Man hört in der Ferne das Lorelei-Lied singen*)

4 Châteaux-Weine: *Wines made at the castle.*
5 Riesling: *Wine made of a special type of grape.*
6 Spätlese: *Late harvest; grapes picked late when completely ripe.*
7 Habsburger: *The Hapsburg dynasty that governed Austria.*
8 Metternich: *Prince von Metternich (1773–1859), Austrian statesman.*

31

Fragen

1. Was ist Davids Meinung von dem Lied „Die Lorelei?"
2. Wann sangen die Leute auf dem Dampfer „Die Lorelei?"
3. Was sieht man auf einer Rheinfahrt? 4. Wodurch wird man
„seehkrank?" 5. Warum ist eine Rheinfahrt mit dem Dampfer
so interessant? 6. Was ist ein Schloß? Was ist eine Burg?
7. Womit finanzierten die Raubritter ihre Kriege? 8. Was war
der Mäuseturm in Wirklichkeit? 9. Wer hat die Legenden über
die Rheinburgen erfunden? 10. Wer hat die alten deutschen
Volkslieder gesammelt? 11. Wo wurden die deutschen Kaiser
im Mittelalter gewählt? 12. Sind die Rheinburgen heute un-
bewohnt? 13. Wovon leben viele Familien am Rhein? 14.
Was sind die besten Weine? 15. Wer versorgt noch heute die
Habsburger mit Wein?

Übersetzungsübung

1. While looking at the Rhine, they were all singing "The
Lorelei." 2. A trip to the Lorelei is no longer dangerous. 3. A
rich banquet never ends. 4. The picture of the landscape
changes with each turn of the river. 5. Each castle is different
from the others. 6. After the end of the middle ages, castles
were built for the pleasure of their master. 7. So many legends
are told about each castle of the Rhine. (Render in two different ways: 1) using passive voice; 2) replace passive voice by
using "man.") 8. We looked forward to seeing all points of
interest. 9. I still remember the two brothers. 10. Most folksongs and poems have been collected around the Rhine. 11. Romanticism is at home here. 12. Why do all these castles stand
there uselessly? 13. There are many castles that have remained
part of the property of one family. 14. What do they live on?
15. Would you like to buy a castle for yourself?

5 Frankfurt, Goethes Geburtsstadt

BARBARA   Gestern romantisch—heute amerikanisch! Was für ein Kontrast: Der Rhein mit seinen Burgen aus dem Mittelalter und nun das moderne Frankfurt!

HILDE   Ja, gerade um Ihnen diesen Gegensatz zu 5 zeigen, haben wir Sie nach Frankfurt am Main gebracht.

HANSJÜRGEN	Hier hat man nicht, wie in den meisten andern deutschen Großstädten, die Altstadt wiederaufbauen wollen nach der Zerstörung im letzten Kriege. Man hat eine neue, ganz moderne Stadt mit wunderschönen Parkanlagen daraus gemacht.
DAVID	Aber ein paar historische Bauten sind doch erhalten, nicht wahr? Warum hat man sie aus den Ruinen wiedererstehen lassen, obwohl sie doch in die neue Stadt aus Beton, Glas und Stahl nicht mehr hineinpassen?
HILDE	Weil wir Deutsche am Alten hängen. Das ist eben unsere deutsche Sentimentalität.
HANSJÜRGEN	Als die Frankfurter ihren „Römer,"[1] das alte Rathaus, wiederaufbauten, gaben sie ihm dieselbe Fassade, die er im 15. Jahrhundert gehabt hatte. Aber im Innern ist der Römer ganz modern. Außen alt, innen neu . . .
BARBARA	Gut, daß sie das Goethehaus so gelassen haben, wie es vor zweihundert Jahren war, außen und innen.
HILDE	Goethes Geburtshaus war auch ein Trümmerhaufen. Aber man hat es mühsam mit den alten Steinen der Ruine wieder zusammengesetzt, und nun sieht es aus wie zu Goethes Zeit.
HANSJÜRGEN	Die ganze Einrichtung, auch die Manuskripte und Bilder Goethes, seiner Familie und Freunde, hatte man Gott sei Dank über den Krieg retten können!
BARBARA	Als wir heute morgen durch das Goethe-

5

10

15

20

25

30

[1] Römer: *Name of the Frankfurt town hall, where at the time of the Roman occupation a Roman castellum had been built.*

34

DAVID

haus am Hirschgraben gingen, da hatte ich garnicht das Gefühl, in einem Museum zu sein. Es sieht so aus, als ob die ganze Familie noch heute in diesem alten Patrizierhause wohnte . . .   5

(*Lacht*) Vielleicht waren die Goethes nur für den Sommer verreist, weil sie wußten, wieviele Touristen aus aller Welt den berühmten Mann sehen wollten!

HANSJÜRGEN

17 Jahre war er alt, als er das Elternhaus 10 verließ. Seine ganze Jugend hat er in

Im Goethehaus in Frankfurt

35

Der „Römerberg" in Frankfurt um 1700

Frankfurt verlebt. Daß er gerade in dieser
Stadt die ersten Eindrücke seines Lebens
hatte, das war sein Schicksalsglück. Er hat
das selbst gesagt . . .   5

HILDE Ja, schon vor 200 Jahren war Frankfurt,
die freie Reichsstadt, so kosmopolitisch
wie kaum eine andere in Deutschland.
Der Handel blühte, Fremde aus allen Ländern kamen in die Mainstadt, um Ge-   10
schäfte zu machen. Die Kaiser wurden im
Dom zu Frankfurt gekrönt, und Johann
Wolfgang hat das als Junge miterlebt.

DAVID Da fällt mir gerade ein: Ist nicht auch
der Gründer der Rothschild-Familie in   15
Frankfurt geboren und hat hier in der
Judengasse sein Geschäft aufgebaut?

Kapitel 5

HANSJÜRGEN	Das stimmt. Mayer Amschel Rothschild wurde nur fünf Jahre vor Johann Wolfgang in Frankfurt geboren. Er und seine fünf Söhne wurden von Frankfurt aus die reichsten Bankiers der Welt.

HILDE Und damals lebten die Juden noch im Getto. Sie trugen einen schwarzen Kaftan und den gelben Judenstern darauf. Ich glaube, in „Dichtung und Wahrheit"[2] erzählt uns Goethe, wie tief es ihn schon als Kind beeindruckte, wenn er einer dieser seltsamen Gestalten aus dem Getto begegnete . . .

BARBARA Vielleicht hat er sogar den Vater Rothschild später kennengelernt? Der hat doch fast allen Fürsten Europas Geld geliehen— warum nicht auch dem Herrn Ministerpräsidenten[3] von Goethe und seinem Großherzog in Weimar?

HANSJÜRGEN Eine sehr interessante Idee! Ich glaube, Barbara, Sie sollten eine Doktorarbeit schreiben: „Goethe und Rothschild, zwei Söhne Frankfurts." Die gibt's noch nicht! (Alle lachen)

HILDE Wer weiß, vielleicht wird das sogar ein bestseller, der den Friedenspreis der deutschen Buchhändler bekommt . . .

HANSJÜRGEN Natürlich kommen wir alle zur feierlichen Preisverteilung in der Paulskirche.

DAVID Die Paulskirche in Frankfurt? Ist das nicht die Kirche, in der das erste deutsche Parlament abgehalten wurde, im vorigen Jahrhundert?

[2] Dichtung and Wahrheit: *"Fiction and Truth," Goethe's autobiography.*

[3] Ministerpräsident: *Goethe was for ten years prime minister of the grand duchy of Saxe-Weimar.*

[4] Friedenspreis: *A prize yearly awarded by the German book trade.*

37

HILDE | Ja, die Paulskirche, da trafen sich ein paar hundert mutige Männer, die ein einiges und konstitutionelles Deutschland wollten. Aber es hat noch lange gedauert, bis wir eine Republik wurden! 5

BARBARA | Ist es eigentlich wahr, daß in Deutschland heute mehr Bücher gedruckt werden als in den Vereinigten Staaten?

HANSJÜRGEN | Ich glaube, das ist richtig. Von Jahr zu Jahr werden mehr Bücher herausgegeben; 10 der jährliche Bücherkatalog, der in Frankfurt erscheint, wird immer dicker. Und dazu die vielen Zeitungen und Zeitschriften . . .

DAVID | Ich habe gehört, die Leute gehen ins 15 Café,[5] und da können sie bei einer Tasse Kaffee soviele Zeitungen und Zeitschriften lesen wie sie wollen, ohne dafür zu bezahlen . . .

HANSJÜRGEN | Ja, solche Caféhäuser nach Wiener Art 20 gibt es noch, auch in Frankfurt. Aber das ist ein schlechtes Geschäft: Eine Tasse Kaffee und dazu drei Glas Wasser und ein halbes Dutzend Zeitungen als Gratiszugabe[6] . . . 25

HILDE | Unsere Cafés haben noch eine andere gute alte Sitte beibehalten. Sie haben eine schöne Terrasse im Freien und ein kleines Streichorchester drinnen. Am Nachmittag und am Abend kann man dort seine gute 30 Tasse Kaffee und Torte mit Schlagsahne haben und Orchesterbegleitung dazu . . .

---

[5] Café: *In Germany a combination of coffeehouse and pastry shop, not a restaurant offering full meals.*
[6] Gratiszugabe: *An "extra."*

Kapitel 5

BARBARA   Also ist der Kaffeeklatsch noch immer in
           Deutschland zu Hause!

DAVID   Den Kaffeeklatsch überlasse ich gern dem
           schönen Geschlecht. Ich ziehe ein gutes
           Glas Bier mit einem Paar Frankfurter 5
           vor . . .

HANSJÜRGEN Wenn Sie „Frankfurter" zur Kaffeestunde
           am Nachmittag bestellen, wird man Sie
           wahrscheinlich sehr erstaunt anschauen!
           „Frankfurter," heißen hier ganz einfach 10
           Würstchen, auch wenn sie in Frankfurt
           gemacht werden.
           (Alle lachen)

Fragen

1. Was hat man aus der Frankfurter Altstadt gemacht?
2. Warum hat man einige historische Bauten wiederaufgebaut?
3. Was ist der Römer? 4. Wie sieht das Goethehaus heute aus?
5. Wie kommt es, daß man die Manuskripte Goethes heute noch
im Goethehaus sehen kann? 6. Warum war es ein Schicksalsglück, daß Goethe in Frankfurt geboren wurde? 7. Wo
lebten die Juden in Frankfurt zu Goethes Zeit? 8. Welche
berühmten Bankiers kommen aus Frankfurt? 9. Welchen Preis
verteilen die deutschen Buchhändler jährlich? 10. Warum ist
die Paulskirche in Frankfurt berühmt? 11. Werden in den
Vereinigten Staaten mehr Bücher gedruckt als in Deutschland?
12. Welche gute alte Sitte findet man noch in deutschen Cafés?
13. Was ist der Unterschied zwischen einem Restaurant und
einem Café? 14. Wie nennt man „Frankfurter" im Deutschen?

Übersetzungsübung

1. In Frankfurt they did not want to reconstruct the old city.
2. The historical buildings do not fit into the new city of con-

crete, glass and steel. 3. The Goethe House now looks the same as at Goethe's time. 4. God be praised, they were able to save all the furniture throughout the war. 5. Tourists from all over the world want to see the house where Germany's greatest poet was born. 6. It just occurs to me. It just occurred to me. 7. Rothschild built up his business in Frankfurt's Judengasse. 8. Perhaps he did make his acquaintance later. 9. Such work does not exist as yet. 10. It took quite a long time until Germany became a republic. 11. Is it really true that more books are printed in Germany than in the USA? 12. There are cafés where they can read papers and magazines without paying for them. 13. This is a good old custom that has been maintained. 14. They have a nice sidewalk terrace and a little string orchestra inside. 15. As you see, kaffeeklatsch is still "at home" in Germany!

6 Eine Badekur

BARBARA	Das hätte ich wirklich nicht für möglich gehalten! Alle diese Kranken fahren für drei oder vier Wochen in ein Heilbad, trinken Mineralwasser, gurgeln damit, baden darin—und glauben, daß sie dadurch 5 wieder gesund werden . . .
DAVID	Vielleicht ist es der Glaube daran, daß ihnen das helfen wird, und sie fühlen sich wirklich besser nach einer Badekur, weil sie es fest glauben . . . 10
HILDE	Aber Mineralwässer, die frisch an der Quelle benutzt werden, sind doch Heil- mittel, natürliche Heilmittel. Warum sollten sie nicht so gut sein wie die künst- lichen Heilmittel, die der Doktor als Medi- 15 zin verordnet?
HANSJÜRGEN	Es gibt in Europa hunderte von Heil- bädern, bei uns in Deutschland allein

Mineralwasser von der Quelle muß man schluckweise
trinken!

über achtzig. Viele davon sind schon seit
Jahrhunderten berühmt. Die heißen
Quellen, die Thermen, haben schon die
Römer benutzt.

Kapitel 6

BARBARA	In Amerika haben wir auch ein paar „Springs," aber ich glaube, die meisten Leute fahren nicht dorthin, um eine richtige Kur zu machen, sondern um sich gut zu amüsieren . . . 5
DAVID	Für uns Amerikaner ist Mineralwasser ein reines, angenehmes Trinkwasser, aber daß es heilen könnte, das kommt uns nicht in den Sinn.
HILDE	Ihr Amerikaner glaubt doch auch an die 10 Heilkraft der Sonne, nicht wahr? Wir Deutsche glauben, daß auch Luft und Wasser geheime Kräfte haben. Darum haben wir soviele Luftkurorte und Wasserkurorte. 15
HANSJÜRGEN (*Lacht*)	Und in unseren Salatorien essen die Leute nur Naturkost!
HILDE	Salatorien sagen wir im Scherz, statt Sanatorien, weil man dort vor allem mit grünen Salaten und allerhand Rohkost 20 gefüttert[1] wird.
BARBARA	Und ein Wasserkurort, ist das wieder etwas anderes als ein Mineralwasserkurort?
HILDE	Natürlich! In einem Wasserkurort[2] gibt es keine Mineralquelle. Da werden die 25 Leute nur mit Wasser behandelt, so wie es vom Himmel herunterkommt. Frühmorgens laufen sie barfuß über die taubedeckten Wiesen, dann lassen sie sich in Wasserkompressen einwickeln . . . 30
DAVID	Meine Großmutter, die aus Deutschland stammt, machte mir als Kind immer lauwarme Kompressen um den Hals, wenn

[1] gefüttert: *Fed (here used ironically for food given to humans).*
[2] Wasserkurort: *Health resort for hydrotherapy.*

43

ich Halsschmerzen hatte. „Das zieht die Krankheit aus dem Körper heraus"—sagte sie.

HANSJÜRGEN Was Ihre gute Großmutter machte, das tut auch der Pfarrer Kneipp[3] bei uns in seinen 5

[3] Pfarrer Kneipp: *Father Kneipp, a priest who, in the last century, introduced the use of water-cures.*

44

In einem Kurpark

HILDE

Kneippkurorten.   Hydrotherapie: ein
neuer Name für ein altes Hausrezept.
Sehen Sie einmal, wie alle diese Kurgäste
hier auf der Kurpromenade mit ihrem
kleinen Glas Sprudelwasser in der Hand 5
spazieren gehen! Sie dürfen das nicht auf
einmal austrinken, sondern nur schluck-

weise. Morgens vor dem Frühstück das erste Gläschen, mittags vor dem Essen das zweite und abends das dritte.

DAVID Wirklich komisch, wie ernst die Leute das Wassertrinken nehmen! Eine richtige 5 Zeremonie mit Wasser.

HANSJÜRGEN Ja, sie bekommen das Wasser nur auf ärztliche Verordnung und genau die vorgeschriebene Quantität.

BARBARA Und was geschieht, wenn sie Durst haben 10 und ihr Glas auf einmal austrinken oder sich ein zweites Glas holen?

HILDE (*Lacht*) Dann können sie eine Magen- oder Darmkolik bekommen . . .

DAVID Es gibt doch aber Mineralwasser, das man 15 in Flaschen überall kaufen kann und wie gewöhnliches Wasser zum Essen trinkt?

HANSJÜRGEN Das nennen wir Tafelwasser. Nicht alle Mineralquellen sind Heilquellen.

HILDE Die Ärzte in den Heilbädern sind Spe- 20 zialisten in einem Fach der Therapie, das Balneologie genannt wird. Das ist eine medizinische Wissenschaft, für die es Professoren an unseren Universitäten gibt.

BARBARA Davon habe ich noch nie etwas gehört. 25 Und woher wissen sie, für welche Krankheiten eine Quelle gut ist?

HANSJÜRGEN Das ist eine Frage der chemischen Komposition einer Quelle, ihrer Temperatur, ihres Gasgehaltes, ihrer Radioaktivität und 30 das Ergebnis einer langjährigen Erfahrung.

DAVID Offen gesagt, viele Kurgäste, die hier im schönen alten Kurpark[4] spazieren gehen, sehen garnicht aus, als ob sie krank wären.

[4] Kurpark: *The park of a spa where all the facilities for taking a cure are concentrated.*

Kapitel 6

HILDE	Sie sind es auch nicht alle. Viele machen die Kur, weil sie dünner werden wollen, oder um sich zu verjüngen ...
HANSJÜRGEN	Und manche kommen, nur um das Leben in einem eleganten Kurort zu genießen. 5
BARBARA	Und was machen sie da den ganzen Tag ohne die Kurpflichten?
HILDE	Barbara, Sie sollten eine Woche hier in Bad Homburg oder in Wiesbaden oder in Baden-Baden bleiben! Dann werden Sie 10 sehen, daß für Langeweile keine Zeit übrig bleibt. Konzerte des Kurorchesters im Freien morgens, mittags und abends, Golf und Tennis und Schwimmen, Theater und Kino, Tanz und Galavorstellungen ... 15
HANSJÜRGEN	Und nachts Roulette im Kasino. Kein Heilbad ohne sein Kasino. Lange bevor die Brüder Blanc ihr Spielkasino in Monte Carlo erbauten, hatten sie schon ihr Roulette und Bakkara in Homburg und Baden- 20 Baden.
DAVID	Dabei sind schon viele arm und wenige reich geworden!
HILDE	Wissen Sie, wer die größten Spieler in den Kasinos waren? — Die Russen. Die 25 Großfürsten[5] des Zarenreiches verspielten ihre guten Rubel hier. Und der arme Dostojewski folgte ihrem Beispiel ...
HANSJÜRGEN	Das wurde so schlimm, daß der König von Preußen das Kasino zumachen mußte. 30
BARBARA	Aber heute kann man wieder nach Herzenslust Roulette spielen und dabei viel Geld gewinnen ...
DAVID	Oder verlieren!

[5] Großfürst: *Grand-duke (in Germany called Grossherzog).*

Fragen

1. Wie gebrauchen die Kranken das Mineralwasser in einem Heilbad? 2. Wo muß man das Mineralwasser als Heilmittel benutzen? 3. Gibt es schon lange Heilbäder in Deutschland? 4. Was denken viele Amerikaner über Mineralwasser? 5. Was glauben die Deutschen von Luft und Wasser? 6. Warum sagen die Deutschen im Scherz „Salatorien," nicht Sanatorien? 7. Was ist ein Wasserkurort? 8. Was für eine Kur machen die Leute dort? 9. Dürfen die Kranken das Glas Sprudelwasser auf einmal austrinken? 10. Was brauchen die Kranken, um Mineralwasser an der Quelle trinken zu dürfen? 11. Was ist Tafelwasser? 12. Woher wissen die Balneologen, für welche Krankheiten eine Quelle gut ist? 13. Warum kommen auch Nicht-Kranke in ein Heilbad? 14. Ist das Leben in einem Heilbad langweilig? 15. Wodurch sind die Kasinos berühmt geworden?

Übersetzungsübung

1. I really wouldn't have believed that! 2. They have faith that a watering cure will help them. 3. It does not enter our heads that mineral water could have healing power. 4. Jokingly we say "salatorium" instead of sanatorium. 5. They eat all kinds of raw food and green salads. 6. My grandmother who came from Germany believes in natural, not in artificial remedies. 7. You are not permitted to drink your glass of mineral water all at once. 8. You can get it only on prescription. 9. With our meals we always drink ordinary water, not mineral water. 10. I have never heard of such a thing. 11. They don't look at all as if they were sick. 12. Many people come here to lose weight or to rejuvenate. 13. What do they do the whole day without any obligations? 14. There is no time left for boredom. 15. You may gamble to your heart's desire and lose your money.

7 Alt Heidelberg, du feine!

BARBARA   Als ich heute morgen auf der Alten Brücke über dem Neckar stand und Heidelberg zum ersten Male sah, da habe ich mich gleich in diese Stadt verliebt . . .

DAVID   Das nennt man „Liebe auf den ersten 5 Blick!"

HILDE   Ja, diese Stadt am Neckar ist eine Zauberin. Sogar Prinzen verlieben sich hier auf den ersten Blick, und manchmal in eine einfache Kellnerin. 10

HANSJÜRGEN   Vielleicht kommen so viele Ausländer nach Heidelberg, weil sie alle die Operette vom „Student Prince" kennen. Sie glauben, das Studentenleben hier sei noch heute so wie vor sechzig Jahren zur Zeit 15 des Erbprinzen Karlheinz und seiner Käthi.[1]

[1] Käthi: *Name of the waitress in "The Student Prince."*

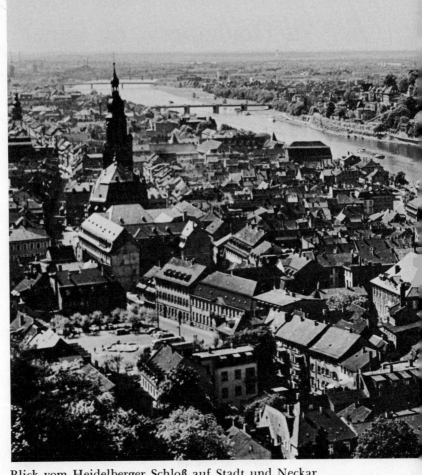

Blick vom Heidelberger Schloß auf Stadt und Neckar

DAVID   In Amerika weiß wohl jeder Student, daß
Heidelberg die älteste deutsche Universität
ist.   Weil sie die älteste ist, so muß sie
auch die beste sein, denken wir.   Oxford,
die Sorbonne und Heidelberg: die drei 5
Großen Europas.

HILDE   Natürlich fühlt man die Tradition von fast
sechshundert Jahren noch heute auf
Schritt und Tritt. Aber hier wie anderswo
an deutschen Universitäten ist das Studentenleben nicht mehr so romantisch, so 5
sentimental wie es einmal war . . .

BARBARA Man sieht aber noch immer Studenten mit ihren bunten Mützen und Bändern[2] über der Brust auf den Straßen und in den Kneipen. Im „Roten Ochsen"[3] und im „Seppl," da trinken sie und singen sie ihre schönen alten Studentenlieder:
(*Singt*) „Alt Heidelberg, du feine, Du Stadt an Ehren reich,
(*Alle singen*) Am Neckar und am Rheine, Kein' andere kommt dir gleich!"

HANSJÜRGEN Und doch sind die guten alten Zeiten vorüber, als der Herr Studiosus[4] mehr auf der Kneipe war als im Kolleg. Heute müssen sehr viele als Werkstudenten sich ihr Studium selbst verdienen und darum schon in den ersten Semestern tüchtig schuften.

DAVID Und darum braucht die Universität keinen Studentenkarzer[5] mehr, wo man die Delinquenten einsperren mußte.

BARBARA So eine Woche oder zwei im Karzer, das muß doch ganz lustig gewesen sein! Da hatten die jungen Herren Zeit genug, ihren Katzenjammer auszuschlafen, von ihrem Schatz zu träumen und Verse an die Wände zu kritzeln . . .

HILDE Und von Wasser und Brot allein, wie ein richtiger Gefangener, lebten sie dort auch

[2] Mützen und Bänder: *Caps and ribbons in distinctive color combinations, signifying the different fraternities. The ribbons are worn diagonally across the chest from the left shoulder to the waist.*
[3] „Rote Ochse" (Red Ox) and „Seppl," *names of two historical taverns favored by students for their drinking bouts.*
[4] Herr Studiosus: *Sir student.*
[5] Studentenkarzer: *The students' lock-up (from Latin carcer) was abandoned in 1914.*

nicht. Schätzchen schmuggelte dem Delinquenten ein kleines Futterkörbchen in
seine Zelle, wenn es draußen dunkel
wurde . . .

HANSJÜRGEN   (Singt) „O alte Burschenherrlichkeit, wohin 5
bist du verschwunden!"

DAVID   Und mit der alten Burschenherrlichkeit
ist auch das Duell verschwunden, nicht
wahr?

HANSJÜRGEN   An den meisten Universitäten ist die Men- 10
sur zwar nicht verboten, aber „nicht
gern gesehen", wie man bei uns so schön
sagt, wenn man etwas nicht verbieten
kann oder will.

BARBARA   Ich glaube, die deutschen Studenten haben 15
mehr Freiheit als wir amerikanische Studenten. In Deutschland geht der Student
ins Kolleg, wenn er will—und hat er keine
Lust dazu, so bleibt er eben zu Hause.

DAVID   Und quizzes und tests, die gibt's auch 20
nicht!

HILDE   Ja, aber die deutschen Universitäten haben
doch keine „undergraduates." Sie sind
eigentlich nur „graduate schools." Unsere
Professoren sind in erster Linie Gelehrte 25
und Forscher, man nennt sie nicht Lehrer.

DAVID   Das habe ich gemerkt, als ich heute morgen
in einem Kolleg war. Der Herr Professor
liest sein Manuskript vor, seine Zuhörer
scheinen ihn wenig zu interessieren, er 30
sieht sie kaum an . . .

HANSJÜRGEN   Nur ab und zu wird er in seiner Vor-
lesung gestört, wenn die Studenten im
Hörsaal trampeln oder scharren, um ihren
Beifall oder ihr Mißfallen auszudrücken 35
(Lacht).

53

BARBARA   Offen gesagt, ich ziehe unser amerikani-
sches Campusleben in den kleineren Col-
leges vor. Da hat man doch das Gefühl,
daß wir alle, Professoren und Studenten,
zu *einer* großen Familie gehören. Unser 5
campus, das ist wie ein großer schöner
Familienbesitz, auf den wir stolz sind.

HILDE   Einen campus hat es in Deutschland nie
gegeben. Vielleicht kommt das daher,
daß unsere Hochschulen aus Klosterschu- 10
len hervorgegangen sind oder aus theo-
logischen Seminaren. Darum sind unsere
Universitäten keine architektonischen Sehenswürdigkeiten, die Eindruck machen
wollen. 15

HANSJÜRGEN   Der deutsche Student sucht sich für sein
Studium die Universität aus, auf der er
die besten Professoren in seinem Fach
findet. Manchmal ist diese Universität in
einer recht uninteressanten kleinen Stadt. 20

DAVID   Aber nach Heidelberg, scheint mir, kommt
man doch, weil das ein so schönes roman-
tisches Städtchen ist. Ich wundere mich
nur, wie hier in dieser immer blühenden
Landschaft die Studenten sich in ihrer 25
Bude[6] hinter Büchern einsperren können . . .

HILDE   Das tun sie auch garnicht. Sie nehmen
ihre Bücher unter den Arm, setzen sich
auf eine Bank im Schloßpark oder auf dem 30
Philosophenweg[7] und lassen sich von dem
herrlichen Blick auf die Schloßruine inspirieren.

[6] Bude: *Student's name for his room (student slang).*
[7] Philosophenweg: *Philosophers' path; name of a picturesque walk above the bank of the Neckar river.*

Mit dem Blick auf das Heidelberger Schloß studiert man gut im Freien

BARBARA	Schloßruinen scheinen die Deutschen besonders zu inspirieren. Das hab' ich schon am Rhein bemerkt . . .
HANSJÜRGEN	Ja, Ruinen und Romantik, das gehört zusammen. Ruinen sind oft traurig, aber 5 die Ruine des Heidelberger Schlosses ist es nicht, sie ist grandios.
HILDE	Diese stolze Renaissance-Ruine stammt aus dem 17. Jahrhundert. Damals hat ein General Ludwigs XIV. das Schloß 10 zweimal in Brand stecken lassen, aber jedesmal hat die mächtige rosarote Sandsteinfassade dem Feuer standgehalten. Zu unserm Glück hat man Heidelberg im letzten Kriege niemals bombardiert. 15
DAVID	Die amerikanische Armee wollte doch in Heidelberg ihr Hauptquartier beziehen, darum verschonte sie Stadt und Schloß . . .
BARBARA	Schade, daß das Schloß nur noch ein Museum ist! Aber solch eine Sehens- 20 würdigkeit wie das große Faß haben nicht viele Museen. Wenn ich daran denke, daß es zehn Meter lang ist und 236 000 Flaschen Wein halten konnte . . .
HANSJÜRGEN	Ja, das war einmal! Damals tranken die 25 Leute Wein wie wir heute Wasser . . .
HILDE	Kennen Sie die Geschichte von dem Hofnarren Perkeo?[8] Der hatte sein Leben lang nur Wein, immer Wein getrunken. Als er es einmal wagte, ein Glas Wasser zu 30 probieren, da fiel er tot um. Er konnte kein Wasser vertragen. *(Alle lachen)*

---

[8] Perkeo: *The court jester Perkeo (corruption of the Italian words Perchènon, meaning why not?).*

56

Fragen

1. Warum nennt Hilde die Stadt Heidelberg eine Zauberin?
2. Was weiß wohl jeder Student in Amerika über Heidelberg?
3. Wie alt ist die Universität Heidelberg? 4. Was tragen noch immer manche Studenten in Heidelberg? 5. Warum sind die guten alten Zeiten für deutsche Studenten vorüber? 6. Lebten die Studenten von Wasser und Brot im Karzer? 7. Gibt es noch heute die Mensur auf deutschen Universitäten? 8. Worin unterscheiden sich deutsche Universitäten von amerikanischen? 9. Was tun die deutschen Studenten, wenn sie im Hörsaal ihren Beifall oder ihr Mißfallen ausdrücken wollen? 10. Warum zieht Barbara das amerikanische Campusleben vor? 11. Was will der deutsche Student auf der Universität, die er sich aussucht, finden? 12. Was findet man am Rhein und in Heidelberg am Neckar? 13. Wann ist das Heidelberger Schloß zerstört worden? 14. Wie heißt die große Sehenswürdigkeit im Innern des Schlosses?—Beschreiben Sie diese Sehenswürdigkeit! 15. Welche Geschichte erzählt man von Perkeo, dem Hofnarren?

Übersetzungsübung

1. When I saw Heidelberg for the first time, I fell in love with the city at once. 2. Everyone knows that Heidelberg is the oldest university in Germany. 3. At each step you take you will feel the tradition of 600 years. 4. The old student song says about Heidelberg: "There is no other city on the banks of the Neckar and the Rhine that is equal to you!" 5. The good old times have gone. 6. A "Werkstudent" is a student who works his way through college. 7. "Oh glorious old college days, where have you gone?" 8. German professors are, first of all, scholars and researchers. 9. Frankly, I prefer our American campus life. 10. I am proud of our campus which is like a large and beautiful family estate. 11. The German student looks for the university where he will find the best professors in his field of studies. 12. A student cannot always lock himself up in his room behind his books. 13. The Germans let themselves

be inspired by the view of castle-ruins. 14. Twice he had the castle set afire, but it stood firm against the flames. 15. Perkeo, a courtjester, only once tried a glass of water, and he fell down dead.

8 Im Schwarzwald

HILDE

Als ich sechs Jahre alt war, schenkten mir meine Eltern zu Weihnachten eine echte Kuckucksuhr. „Die kommt aus unserm Schwarzwald!"—sagte die Mutter. Seitdem wollte ich immer den Schwarzwald se- 5 hen . . .

HANSJÜRGEN

Ja, für uns Deutsche ist der Schwarzwald mit seinen Tannen noch immer der Märchenwald. Vielleicht hat das damit zu tun, daß die Tanne der Weihnachts- 10 baum geworden ist. (Singt) „O Tannenbaum, o Tannenbaum, wie grün sind deine Blätter."

BARBARA

Das Märchen von Hänsel und Gretel muß wohl im Schwarzwald zu Hause sein. Da 15 ist es am hellen Tage oft so dunkel im Walde, daß man leicht Hexen und Gespenster zu sehen glaubt.

DAVID
Ich denke mir, am allerschönsten muß dieser schwarze Wald im Winter sein, wenn er ganz weiß ist. Wenn dann der dicke Schnee auf den mächtigen Tannen liegt, glitzert und funkelt, das möchte ich 5 einmal sehen! Und dann durch den Weißwald Schi fahren . . .

HILDE
David, Sie werden ja ganz poetisch. Der „Weißwald," ein neues Wort, ein schönes Wort! Sehen Sie, hier im Tannenreich hat 10 die Phantasie allerhand Namen erfunden, die man sonst nirgendwo in Deutschland findet. Wir haben ein Höllental[1] und ein Himmelreich,[2] einen kleinen Ort, der Notschrei[3] heißt, und einen See mit dem 15 magischen Namen Titisee.

HANSJÜRGEN
Hier gibt es sogar ein Dorf, das Aha heißt. Wirklich: Aha! Man kann das nicht aussprechen, ohne zu lachen (*Alle lachen— es klingt wie A—ha*). 20

BARBARA
Aha, nun verstehe ich auch, warum die Deutschen Baden-Baden sagen. Baden ist schön—aber Baden-Baden! das klingt wie eine Aufforderung zum Baden . . .

HANSJÜRGEN
Und Freudenstadt! Stadt der Freuden, 25 von Hugenotten vor fast vierhundert Jahren gegründet. Leider hat der schöne Name diesem sonnigen Kurort kein Glück gebracht. Im letzten Kriege wurde Freudenstadt stark zerstört. Aber aus Schutt 30 und Asche ist ein moderner Kurort wie-

[1] Höllental: *Valley of hell.*
[2] Himmelreich: *Heavenly paradise; name of a village. Names like Himmelpfort and Himmelstadt can be found in other parts of Germany.*
[3] Notschrei: *Cry-of-need. Name given to this village on account of its difficult access before a road was built.*

Alter Bauernhof im Schwarzwald

DAVID

dererstanden, und manche meinen, der sei sogar noch schöner als früher.

Wie sich im heutigen Deutschland das Alte mit dem Neuen mischt, das ist für mich die große Überraschung. Als wir gestern durch einen dieser kleinen Orte kamen, da hörten wir den Ausrufer des Städtchens die neuesten Bekanntmachungen ankündigen. Es war wie im Mittelalter, als es noch keine Zeitungen gab.

HILDE

Ja, wir haben auf dem Lande noch manche kleine Orte; in denen scheint die Zeit stillzusteh'n. Da stehen die alten Giebelhäuser unverändert seit Jahrhunderten,

Wir reisen nach Deutschland

und die Einwohner halten an den Sitten
und Gebräuchen ihrer Vorfahren fest wie
an der Bibel. An Festtagen tragen sie zum
Kirchgang die schönen alten Trachten.
Zum Beispiel im Gutachtal.   5

BARBARA   Die möchte ich schrecklich gern einmal
seh'n! Ich denke mir, die Bauernmädchen
müssen in ihrer Tracht viel lustiger
ausseh'n als in der heutigen Modekleidung . . . Haben die auch noch Gretchen- 10
zöpfe?⁴

4 Gretchenzöpfe: *The braids formerly worn by German girls.*

Volkstrachten aus dem Gutachtal im Schwarzwald

Kapitel 8

HILDE	Natürlich! Manche Mädchen würden sich um keinen Preis die schönen Haare schneiden lassen. Und von Dauerwellen haben sie noch nie gehört (*Sie lacht laut. Alle lachen mit*).
HANSJÜRGEN	Ja, aber in den Großstädten, da lacht man gern über die „Unschuld vom Lande." Dumm genug, nicht?
BARBARA	In den großen Städten, das glaub' ich schon. Aber doch nicht in den kleinen Städten? Da fühlt man doch noch heute, daß ein solches Städtchen einst auch ein Dorf war und das Land nicht vor den Stadttoren aufhört.
DAVID	Ganz richtig, Barbara. In Freiburg zum Beispiel, das sich stolz die Schwarzwald-Hauptstadt nennt, habe ich das deutlich empfunden. Da sind noch die alten Tore, das Schwabentor und das Martinstor, durch die man in die Stadt hineinfährt. Und unter den Metallgittern mitten auf der Kaiser-Josefstraße murmelt der Arm eines Bergflüßchens zu deinen Füßen.
HILDE	Und Deutschlands ältestes Gasthaus aus dem Jahre 1318, der Gasthof „Zum Roten Bären" ist auch in Freiburg. Wir haben ja da zu Mittag gegessen. Die „Schwarzwaldforelle blau"[5] habe ich noch heute auf der Zunge . . .
DAVID	Und ich den „Schanzbucker Gutedel."[6] Donnerwetter, das ist ein Tropfen! Hmmm . . .
BARBARA	O, Ihr Materialisten! Für mich ist der

[5] Schwarzwaldforelle blau: *Black Forest trout which turns blue when properly boiled.*
[6] Schanzbucker Gutedel: *A wine grown in this part of the Black Forest.*

	Turm des gotischen Münsters die schönste Erinnerung an Freiburg. Ich bewundere den Baumeister, dem es gelungen ist, aus rotem Sandstein ein so elegantes Spitzenmuster herauszuschneiden. 5
HANSJÜRGEN	Möchten Sie nicht ein oder zwei Semester in Freiburg studieren, Barbara? Die Universität Freiburg hat manche berühmte Professoren. Hübsche und intelligente Studentinnen aus dem Lande des Marshall- 10 Planes[7] sind herzlich willkommen.
BARBARA	„Hübsch und intelligent," mein Herr, das ist auch relativ. Sowohl quantitativ wie qualitativ.
DAVID	Wenn man die Relativitätstheorie auch 15 auf Naturschönheiten anwenden will, so stelle ich fest, daß der Triberger Wasserfall quantitativ mit den Niagara-Fällen nicht zu vergleichen ist.
HILDE	So? Macht Ihnen denn Deutschlands 20 größter Wasserfall nicht genug Radau?[8]
DAVID	Gnädiges Fräulein—in Amerika sind wir an anderen Lärm gewöhnt (Lacht). Aber ich gebe gern zu, daß der Triberger Wasserfall seinen poetischen Charme hat. 25
HANSJÜRGEN	Also meinen Sie, das ist ein Wasserfall für das Volk der Dichter und Denker?[9] Eine deutsche romantische Angelegenheit, nicht wahr?
BARBARA	Gott sei Dank, daß es wenigstens in der 30 Natur noch Romantik gibt. Unter den Menschen scheint sie langsam, aber sicher auszusterben.

[7] Marshall-Plan: *The European Recovery Program integrated by General George C. Marshall and generally called after him.*
[8] Radau: *An onomatopoetic noun for Lärm: noise.*
[9] das Volk der Dichter und Denker: *The nation of poets and philosophers.*

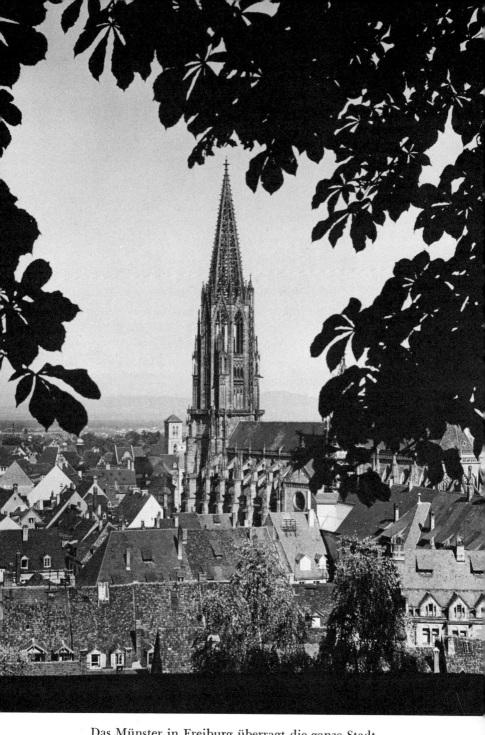

Das Münster in Freiburg überragt die ganze Stadt

HILDE	Sie meinen, Industrie und Technik sind schuld daran? Mir scheint, in unserer modernen Technik und Architektur ist ebenso viel Phantasie wie in den Bauten und Kunstwerken, die wir romantisch 5 nennen.
DAVID	Vielleicht sind die Kuckucksuhren, die man heute im Schwarzwald mit Maschinen fabriziert, ebenso gut wie die handge-schnitzten von einst. Auf jeden Fall sind 10 sie billiger.
BARBARA	Und doch sind diese neuen Uhren nicht mehr dasselbe wie die alten. Etwas fehlt ihnen. Sie sind alle gleich und haben das persönliche Gesicht verloren. 15
HANSJÜRGEN	Ich sehe, der Schwarzwald macht unsere Freundin aus Amerika ein wenig senti-mental.
HILDE	Und ich habe immer gedacht, daß wir Deutsche sentimental sind und die Ameri- 20 kaner praktisch und unsentimental.
DAVID	(*Lacht*) Ausnahmen bestätigen die Regel.

Fragen

1. Wie beginnt das berühmte Lied vom Tannenbaum? 2. Warum glaubt man, Hexen und Gespenster im Schwarzwald zu sehen? 3. Wie ist dieser Wald im Winter? Beschreiben Sie den Winterwald! 4. Welche phantasievollen Namen hat die Phantasie hier im Schwarzwald erfunden? 5. Wie klingt der Name Baden-Baden? 6. Was ist überraschend im heutigen Deutsch-land? 7. Woran halten die Einwohner in kleinen Orten fest? 8. Was tragen sie noch an Festtagen zum Kirchgang? 9. Was würden manche Mädchen um keinen Preis tun? 10. Wie heißt Deutschlands ältestes Gasthaus? Wie alt ist es? 11. In

Handgeschnitzte Kuckucksuhren aus dem Schwarzwald

welchem Stil ist das Freiburger Münster gebaut? 12. Wodurch ist Freiburg eine gute Universität geworden? 13. Warum soll man den Triberger Wasserfall nicht mit den Niagara-Fällen vergleichen? 14. Wie werden heute die Kuckucksuhren im Schwarzwald gemacht? 15. Wie sind die neuen Kuckucksuhren?

Übersetzungsübung

1. For my sixth birthday my parents gave me a genuine cuckoo-clock from the Black Forest. 2. In many countries the Christmas tree is a fir. 3. In summer, the Black Forest is beautiful but in winter it is probably most beautiful. 4. Imagination has invented all kinds of names that cannot be found anywhere else in Germany. 5. How can you pronounce "Aha" without laughing? 6. Unfortunately, beautiful names don't always bring good luck. 7. The combination of the old and the new in Germany is a great surprise to me. 8. In many small places, the inhabitants cling to their old manners and customs just as they do to the Bible. 9. Some farm girls would not, at any price, have their beautiful hair cut. 10. The countryside does not stop just at the city gates. 11. Even today, the taste of the Black Forest trout is fresh in my mouth. 12. The architect of the Freiburg cathedral succeeded in carving the spire in a lace-work pattern. 13. Americans are accustomed to the noise of their Niagara Falls. 14. Who is to be blamed that romanticism is dying out? 15. Cuckoo-clocks made by machines lack the personal element.

9 Das Schwabenland

DAVID	Ich habe mich oft gewundert, warum es bei uns in Amerika so viele deutsch-amerikanische Gesangvereine gibt, die sich „Schwäbischer Männerchor" nennen.
HANSJÜRGEN	Ganz einfach, weil die Schwaben so gern 5 singen. Wenn sie in die Ferne gehen, nehmen sie ihre Lieder mit und gründen einen Liederkranz.[1]
HILDE (*Lacht*)	In dem Männerchor singen aber auch die Frauen, und oft singen sie zusammen. 10
BARBARA	Menschen, die gern singen, sind gutmütig, glaub' ich.

[1] Liederkranz: *Glee-club (lit. wreath of songs).*

Stuttgarter Liederhalle

HANSJÜRGEN	Ja, ein deutsches Sprichwort sagt: „Wo man singt, da laß dich ruhig nieder;[2] Böse Menschen haben keine Lieder."
DAVID	Die neue Liederhalle in Stuttgart, die wir heute morgen gesehen haben, ist wirklich 5 imposant. Drei große Konzertsäle in einem Gebäude. Alle Achtung!
HILDE	Wußten Sie, David, daß zur Eröffnung dieser Liederhalle in Sommer 1956 zweitausend deutsch-amerikanische Sänger he- 10 rübergekommen sind? Das war ein richtiger Wettkampf der Meistersinger[3] in Stuttgart!

[2] da laß' dich ruhig nieder: *There you may settle down peacefully.*
[3] Meistersinger: *Mastersingers, once a guild in Germany, made world-famous by Richard Wagner's music-drama.*

Kapitel 9

BARBARA	Ja, wenn die Schwaben singen, muß das ja sehr schön klingen—aber wenn sie schwäbisch sprechen, dann versteh' ich kein Wort ... (*Alle lachen*)
HANSJÜRGEN	Das werden Sie auch bald lernen. „Übung 5 macht den Meister." Der schwäbische oder alemannische Dialekt ist einer der interessantesten in unserer Heimat.
HILDE	Und ein echter Schwabe spricht sein Leben lang am liebsten schwäbisch. Sogar unser 10 Schiller hat seine Mundart nie ganz verloren. Er schwäbelte[4] immer ein bißchen ...
HANSJÜRGEN	Und doch war er ein Weltbürger, so wie sein großer Freund Goethe! 15
BARBARA	Es ist gut, daß wir gestern in Marbach waren und Schillers Geburtshaus in diesem kleinen Städtchen gesehen haben! Ich hatte nicht gewußt, daß Schillers Familie so arm war und in einem einzigen 20 Zimmer leben mußte ...
HILDE	Ja, die Familie Schiller war recht arm, aber das machte den jungen Friedrich nicht unglücklich. Erst die spartanische Erziehung auf der Hohen Karlsschule machte 25 ihn zum Rebellen. Der Herzog Karl Eugen lebte in Saus und Braus[5] auf seinem Rokokoschloß Solitude, und die Kadetten des Herzogs lebten in ihrem Schulhause wie in einem Gefängnis. 30
HANSJÜRGEN	So wurde Friedrich schon in seiner Jugend zum Apostel der Freiheit und Menschenwürde. Von seinem ersten Drama „Die Räuber" bis zu seinem letzten „Wilhelm

[4] schwäbelte: *Spoke the Swabian dialect.*
[5] lebte in Saus und Braus: *Led a riotous life.*

	Tell" hat er für Freiheit und Recht gekämpft. Wie Schiller sind die echten Schwaben stets gute Demokraten gewesen.
DAVID	Und sind sie nicht auch immer gute Protestanten gewesen? 5
HILDE	Ganz richtig. In Schwaben oder, wie wir heute sagen, in Württemberg gibt es viel mehr Protestanten als Katholiken. Die schönste Kirche des Landes, das Münster in Ulm an der Donau, ist protestantisch, 10 und das herrliche alte Zisterzienser Kloster Maulbronn aus dem 12. Jahrhundert ist es heute auch.
BARBARA	Bei uns in Amerika gibt es in jeder Stadt Protestanten und Katholiken. Aber hier 15 in Deutschland sind das Rheinland und Bayern fast ganz katholisch, und Württemberg und Preußen sind überwiegend protestantisch. Wie kommt das?
HILDE	Das hat historische Gründe. Im 16. Jahr- 20 hundert, in der Zeit der Reformation, nahmen viele Fürsten die neue lutherische Religion an, andere blieben katholisch. Die Untertanen dieser Fürsten mußten damals ihrem Landesherrn folgen. 25 Seitdem sind einige deutsche Länder protestantisch, andere katholisch.
DAVID	Sicher haben die verschiedenen Religionen auch einen Einfluß auf die Lebensweise gehabt. 30
HANSJÜRGEN	Gewiß. Aber die Religion allein erklärt nicht den Unterschied in den Sitten und Gebräuchen der Rheinländer und der Schwaben. Das sind doch Menschen aus ganz verschiedenen Stämmen.

72

Kapitel 9

HILDE	Darum sind die Kölner lebenslustig, sie feiern gern, oft bis in die Nacht hinein. Die Stuttgarter aber sind ernster; sie singen gern und gehen früh zu Bett.
BARBARA	Es ist eine fleißige, tüchtige Stadt, dieses 5 Stuttgart. Das sieht man. Die besten Automobile in Deutschland werden hier gebaut, auch der Mercedes und der Porsche. In der großen Daimler-Benz Fabrik hat uns ein Werkführer erzählt, daß viele 10 ihrer 48 000 Arbeiter aus ein und derselben Familie kommen.
DAVID	Das nenne ich stolz sein auf die Arbeit, die man macht, wenn heute der Sohn im gleichen Unternehmen schafft wie vor ihm 15 Vater und Großvater.
HILDE	Ja, Stuttgart ist eine Industriestadt ersten Ranges, und doch sieht man wenig von Fabriken und Schornsteinen und Rauch. Das kommt daher, daß die Stadt selbst wie 20 in einem Kessel[6] liegt, rings von Hügeln, Wäldern, Weinbergen und Obstgärten eingeschlossen, und die Fabriken sind in den Vororten.
HANSJÜRGEN	Eine grüne Industriestadt, könnte man 25 sagen. Nur ein Viertel ihres Geländes ist heute mit Wohnhäusern oder Fabriken bebaut. Sehen Sie den hohen Fernsehturm dort drüben, der ganz Stuttgart überragt? Auf halber Höhe ist ein Restau- 30 rant, und von da aus hat man eine herrliche Aussicht bis zum Neckar und auf die Schwäbische Alb.[7]

[6] Kessel: *Kettle; here, a valley encircled by hills.*
[7] Schwäbische Alb: *The Swabian Alps, a range of mountains of medium elevation.*

Stuttgart: die grüne Industriestadt

BARBARA	Das müssen wir uns ansehen! Vorausgesetzt, daß man nicht dahinauf klettern muß wie auf den Kölner Domturm.
DAVID	Mit einem Mercedes wirst du da wohl nicht hinaufkommen, aber wahrscheinlich 5 gibt's einen Aufzug.
HILDE	Bevor wir uns das schöne Schwabenland von oben anseh'n, könnten wir ein bißchen im Neckar schwimmen—oder in Champagner . . . 10
BARBARA	Wie?—In Champagner schwimmen?
HANSJÜRGEN	Na ja, was man hier im Scherz Stuttgarter Champagner nennt, das ist kohlensäurehaltiges[8] Mineralwasser, so wie es hier aus mehreren Quellen seit Jahrhunderten 15 aus der Erde sprudelt. Stuttgart hat drei Mineralbäder, zwei im Freien, eins in einer Halle.
DAVID	Und trinken kann man dieses Wasser auch, so wie in den Heilbädern, in Wiesbaden 20 oder Baden-Baden?
HILDE	Warum denn nicht? Das Wasser wird Ihnen aber nicht sehr gut schmecken. Es hat nämlich viel Eisen, und das liegt einem im Magen.[9] 25
BARBARA	(*Lacht*) Ich dachte immer, Wasser ist Wasser. Aber nun weiß ich, in Deutschland hat auch Wasser seine Geheimnisse . . .
HANSJÜRGEN	Ja, bei uns macht man sogar aus Kirschen und Pflaumen Wasser und nennt das 30 Kirschwasser oder Zwetschgenwasser.[10] Aber das ist wirklich kein Wasser mehr, es ist Schnaps. (*Alle lachen herzlich*)

[8] kohlensäurehaltig: *Carbonic.*
[9] das liegt einem im Magen: *It lies heavily on your stomach.*
[10] Zwetschgenwasser: *A brandy made of plums (Zwetschgen or Pflaumen).*

Fernsehturm

Fragen

1. Was ist ein Liederkranz? 2. Was sagt ein altes Sprichwort über Menschen, die gern singen? 3. Warum kamen zweitausend deutsch-amerikanische Sänger im Sommer 1956 nach Stuttgart? 4. Welcher Dialekt ist einer der interessantesten in Deutschland? 5. Wie lebte Schillers Familie in dem kleinen Städtchen Marbach? 6. Wodurch wurde der junge Schiller zum Rebellen? 7. Wofür hat er sein Leben lang gekämpft? 8. Welche Teile Deutschlands sind fast ganz katholisch? 9. Worin unterscheiden sich die Sitten und Gebräuche der Stuttgarter von denen der Kölner und Münchner? 10. Durch welche Industrie ist Stuttgart berühmt geworden? 11. Wie liegt Stuttgart? 12. Von wo aus hat man eine herrliche Aussicht auf Stuttgart? 13. Was ist „Stuttgarter Champagner?" 14. Warum schmeckt dieser „Champagner" nicht gut? 15. Was ist Kirsch— oder Zwetschgenwasser?

Übersetzungsübung

1. Don't you often ask yourself why we have so many glee clubs in our country? 2. I believe that people who like to sing are goodhearted. 3. "Practice makes perfect" is a famous German·proverb. 4. Throughout his life, a Swabian likes best of all to speak in his dialect. 5. From his youth to his death, Friedrich Schiller fought for freedom, right and the dignity of man. 6. Did you know that the Rhineland and Bavaria are almost entirely Catholic, but Prussia and Württemberg Protestant? 7. Religion has always had a deep influence on the way of living. 8. Manners and customs in the South of Germany are different than in the North. 9. These people are still proud of their work. 10. In this big industrial city you don't see much of the factories, chimneys and smoke. 11. You might call Stuttgart a green industrial city since it is encircled by forests, vineyards and orchards. 12. From the television tower you have a splendid view up to the Neckar river. 13. But how to get up there? Is there an elevator? 14. Before looking at the beautiful country, couldn't we do a little swimming in the Neckar? 15. This water does not taste good; it lies heavily on my stomach.

10 München, Stadt der Lebenslust

München: Blick auf die Frauenkirche

BARBARA　Grüß di Gott.[1] Ju-huuu![2] Ich hab' eine
Idee. Ich kauf' mir ein Dirndl.[3] Und
David bekommt Lederhosen, weiße Knie-
strümpfe und ein grünes Lodenjackett.
Dann tanzen wir Schuhplattler[4] und singen　5
Schnadahüpferl.[5]

DAVID　Großartig. Dann gehen wir alle ins Hofbräu[6] und fühlen uns als echte Münchner.

HANSJÜRGEN　Besser, wir warten noch ein bißchen bis
zum Oktoberfest.[7] Erstens, weil es so was　10
nur einmal gibt auf dieser Welt. Und
zweitens hättet Ihr bis zum Oktober mehr
Zeit, den Schuhplattler zu üben. Den
lernt man nicht so rasch wie den Twist.
(*Alle lachen*)　15

HILDE　Am schönsten wäre es, wenn wir zusammen
Fasching[8] in München feiern könnten!
Für die Kostümbälle könnten wir uns so
wunderbar verkleiden, jeden Abend anders . . .　20

BARBARA　Ich weiß schon, wie wir David dazu anzieh'n
(*Sie kichert*): Als Münchner Kindl[9] (*Alle
lachen herzlich*).

DAVID　(*Ein wenig verlegen*) Sooo? Ich—als
Kindl?　25

HILDE　Warum denn nicht? Sie würden doch

---

[1] Grüß di Gott: *Grüss' dich Gott (Bavarian dialect).*
[2] Ju-huuuu!: *Juhu, a yelp uttered during the Bavarian "Schuhplattler" dance.*
[3] Dirndl: *Bavarian name for girl; here, name of the colorful girl's dress, with a wide skirt, a tight laced bodice, and apron.*
[4] Schuhplattler: *Name of the gayest round dance in Bavaria and Tirol.*
[5] Schnadahüpferl: *Popular quatrain song culminating in a yodel.*
[6] Hofbräu: *The historic, three-story beer hall founded in 1589 to sell the beer of the court (Hof) brewery.*
[7] Oktoberfest: *Renowned festival held on the large Theresienwiese during a fortnight at the end of September and the beginning of October.*
[8] Fasching: *The pre-Lenten carnival in Munich.*
[9] Münchner Kindl: *The symbol of Munich as it appears in the city's coat of arms.*

Bei einer Faschingsvorstellung in München

	fabelhaft in der Mönchskutte aussehen, schwarz mit goldenen Rändern. In der rechten Hand ein Bierkrug, in der Linken Bretzeln, ein Rettich und Weißwürstl.
HANSJÜRGEN	Meine Damen und Herren, ich protestiere 5 im Namen der Wahrheit. Das echte Münchner Kindl im Wappen der Stadt München trägt wohl eine Mönchskutte, aber in der Linken hat es keinen Maßkrug, sondern ein Buch. Und die Rechte ist 10 zum Schwur erhoben.
DAVID	Und warum ist das Kind als Mönch gekleidet?
HILDE	Sehr einfach. Weil München vor achthundert Jahren von Mönchen gegründet 15 wurde. Der Name München bedeutet: Bei den Mönchen.
BARBARA	Wirklich vor achthundert Jahren? München sieht doch viel jünger aus. Die schönen breiten Straßen, die eleganten 20 Plätze mit ihren Fontänen, die weltberühmten Museen, die sind doch alle aus dem vorigen Jahrhundert, nicht?
HANSJÜRGEN	Das stimmt. Vom Mittelalter ist nicht mehr viel zu sehen, außer den Stadttoren. 25 Selbst die Frauenkirche mit ihren Zwiebeltürmen,[10] die man auf allen Ansichtskarten findet, stammt aus dem Ende des 15. Jahrhunderts.
HILDE	Die schönsten Bauten Münchens, glaube 30 ich, sind aus der Zeit des Barock und des Rokoko. Das kleine Opernhaus im Residenzschloß, in dem Mozart-Musik gespielt wird, ist ein Juwel.

[10] Zwiebeltürme: *The onion-shaped top of the spires often found on Bavarian churches.*

82

Kapitel 10

HILDE   Sollten wir jetzt nicht ein bißchen an der Isar entlang spazierenfahren?

BARBARA   Spazierenfahren? O nein, spazierengehen. In Amerika fahren wir spazieren, in Deutschland geht man spazieren!   5

Fragen

1. Was tragen die Münchner und Münchnerinnen am liebsten? 2. Wie heißt das populärste Fest in München? 3. Warum macht es großen Spaß, auf einen Kostümball zu gehen? 4. Beschreiben Sie das Münchner Kindl im Wappen der Stadt! 5. Woher kommt der Name der Stadt München? 6. Wie alt ist diese Stadt? 7. Aus welcher Zeit stammen die schönen Straßen, Plätze und Museen? 8. Sieht man in München noch viele Bauten aus dem Mittelalter? Welche Bauten sind das? 9. Was ist auf den meisten Ansichtskarten von München zu sehen? 10. Warum stehen die Touristen um 11 Uhr mittags vor dem Rathaus? 11. Womit kann man die Sehenswürdigkeiten einer fremden Stadt vergleichen? 12. Warum ist das Deutsche Museum weltberühmt? 13. Wie leben die Tiere im Tierpark von Hellabrunn? 14. Wie werden die Kellnerinnen in München von vielen Gästen gerufen? 15. Wann wünschen sie den Gästen „Guten Appetit!"? 16. Warum kann man Schwabing mit dem Quartier Latin in Paris vergleichen? 17. Wie leben viele Künstler in Paris und in München? 18. Wer hat die Hauptstadt Bayerns zu der großen Kunststadt Deutschlands gemacht? 19. Gibt es heute noch ein Braunes Haus in München? 20. Hat München durch den Wiederaufbau nach dem Kriege ein ganz neues Gesicht bekommen?

Übersetzungsübung

1. They feel like genuine inhabitants of Munich. 2. It would be extremely nice if we could see you at the carnival in Munich! 3. It is great fun to disguise oneself for a costume

ball. 4. You look fabulous in that costume! 5. I am very much interested in music and art. 6. Many tourists don't care about the style of buildings. 7. Look for something to your taste! 8. What do you like best in this city? 9. Waitresses are not always called "miss"; they are often called by their first names. 10. I've heard say that they become pugnacious when they drink too much. 11. Most artists live "from hand to mouth." 12. Since I read his first book, he has become my favorite author. 13. Much that was beautiful was destroyed in the last war. 14. It is almost a miracle that Germany could be rebuilt as beautiful as it was. 15. Germans like to walk, Americans like to drive.

11 In den Bayrischen Alpen

BARBARA   Bevor ich nach Deutschland kam, hatte
ich immer geglaubt, daß die Alpen in der
Schweiz sind. Jetzt weiß ich, daß die
Alpen zu fünf Ländern gehören, zur
Schweiz, zu Deutschland, Österreich, Frank- 5
reich und Italien.

HILDE   Trösten Sie sich, Barbara! In der Geographie von Amerika wissen wir Deutsche
auch nicht sehr gut Bescheid. Ich habe
zum Beispiel keine Ahnung, zu welchen 10
Staaten Nordamerikas die Rockies gehören . . .

89

HANSJÜRGEN

Nicht fünf, sondern sogar sechs Länder teilen sich in den Besitz der Alpen. Das winzige Liechtenstein ist der sechste Alpenstaat. Wenn der Tourist durch die Alpenländer reist, so muß er jedesmal bei der 5 Ein- und Ausreise seinen Paß zeigen, jedesmal eine Zollerklärung abgeben und in jedem Lande sein Geld umwechseln. Ist das nicht komisch?

DAVID

Hurra für die Vereinigten Staaten von 10 Europa!

BARBARA

Das wird sehr schön sein für den Touristen, wenn es eines Tages die Vereinigten Staaten von Europa geben wird! Aber ich fürchte, die Briefmarkensammler in allen 15 Ländern Europas werden dagegen protestieren . . . (Sie lacht)

DAVID

In Europa gibt's doch überhaupt keine großen Entfernungen, verglichen mit den Distanzen in Amerika! Von München, 20 der Hauptstadt Bayerns, bis hinauf zur Zugspitze,[1] dem höchsten Berg Deutschlands, ist es doch nur ein Katzensprung.

HILDE

Ja, in zwei Stunden ist man von München aus in Garmisch-Partenkirchen, und in 25 nochmals zwei Stunden Fahrt mit der Zahnradbahn ist man oben auf dem Gipfel der Zugspitze, im Reich des ewigen Schnees, in fast 3000 m Höhe.

HANSJÜRGEN

Auto und Eisenbahn oder Bergbahn 30 dringen heute bis auf die höchsten Gipfel vor und in die entlegensten Ortschaften. Nur ganz wenige Gebiete lassen die modernen Verkehrsmittel nicht zu.

[1] Zugspitze: 9732 feet, highest mountain in the Bavarian Alps.

Im Reich des ewigen Schnees: der Zugspitzgipfel

HILDE	Das ist so im Kleinwalsertal,² das nur von Deutschland aus erreichbar ist, aber politisch zu Österreich gehört, und im Gebiet des Königssees bei Berchtesgaden.
BARBARA	Und das erklärt, warum es so majestätisch 5 still um den grünen Königssee ist. Da klettern die Gemsen an den steilen Felswänden des Watzmann³ empor, und der Adler zieht seine Kreise hoch in den Lüften. 10
DAVID	Hohe Schneeberge, einsame Bergseen, grüne Fichtenwälder haben wir ja auch bei uns in Amerika. Aber die Alpen sind doch anders als unser Hochgebirge.
HANSJÜRGEN	Das kann man sich denken; denn unsere 15

² Kleinwalsertal: *This valley is Austrian territory, but separated from its motherland by mountains that are untraversable by vehicles and ordinary pedestrians. It is tied in economically with Germany, included in the German customs union and use of German currency.*

³ Watzmann: *Mountain peak of 8901 feet; its sheer East Wall faces the lake.*

91

Der majestätische Königssee bei Berchtesgaden

	Alpen sind seit zweitausend Jahren besiedelt. Menschenhände haben längst die Wildnis urbar gemacht.
HILDE	Auf den Berghängen weiden die Kühe bis in den Herbst hinein, in jedem Tal sind ⁵ die Felder und Wiesen säuberlich bestellt, und die alten Bauernhäuser gehören schon seit Generationen derselben Familie.
BARBARA	Ja, diese Alpenhäuser sind so recht nach meinem Geschmack. Sie passen so gut in ¹⁰ die Landschaft hinein, diese soliden Steinhäuser mit ihrem mächtigen, überhängenden Dach und der Holzveranda, die ums ganze Haus herumläuft. Und immer ist die Veranda mit bunten Blumen ge- ¹⁵ schmückt!
HILDE	O, wir Deutsche sind doch Blumennarren. Für Blumen haben wir die liebevollsten Namen erfunden: Maiglöckchen, Stief-

92

	mütterchen, Tausendschönchen und Flei-ßiges Lieschen . . .
DAVID	In manchen Orten sieht man auf den Hausfassaden wunderschöne Malereien. Zum Beispiel in Garmisch-Partenkirchen, 5 Mittenwald und Oberammergau. Die Leute, die sich ihre Häuser so schön be-malen, müssen doch Kunstsinn haben . . .
HANSJÜRGEN	In Oberammergau sind die Einwohner fast alle Holzschnitzer, einige sind 10 Keramiker, und in Mittenwald sind sie Geigenbauer seit drei Jahrhunderten.
BARBARA	Es ist jammerschade, daß wir das Passions-spiel in Oberammergau nicht sehen konnten, weil das nur alle zehn Jahre 15 gespielt wird!
HILDE	Wußten Sie, Barbara, daß alle 1400 Mit-wirkenden an diesem dreihundertjährigen Passionsspiel Oberammergauer Bürger sein müssen? Der finanzielle Ertrag 20 kommt nicht den einzelnen Spielern zugute, sondern der Gemeinde.

93

Denkmal für einen Geigenbauer in Mittenwald

BARBARA   Das finde ich schön und würdig. Die
             Köpfe der Männer, die Jesus und die
             Apostel spielen, kann ich nie vergessen.
             Sie sind wie aus Holz geschnitzt und sehen
             auch im täglichen Leben so aus, als 5
             kämen sie direkt aus dem alten Judäa . . .
DAVID   Auch die Mittenwalder Geigenbauer, finde
             ich, sind wirkliche Künstler in ihrem
             Handwerk. Wie schade, daß jetzt die

Ein Oberammergauer Holzschnitzer

viel billigeren Instrumente, die mit
Maschinen produziert werden, die wert-
vollen handgeschnitzten Mittenwalder
Violinen immer mehr verdrängen . . .

HANSJÜRGEN Ja, das ist leider so. Die Mittenwalder 5
Violinen sind in Gefahr, langsam aus-
zusterben, aber die Oberammergauer
Holzschnitzereien werden in der ganzen
Welt verkauft.

BARBARA	Ich hab' mir eine kleine Kapelle von musizierenden Holzengeln beim Jesus-Lang gekauft. Sie sind wunderschön.
HILDE	Ich glaube, das Schnitzen und Malen ist hier ein Talent, das sich von Generation zu Generation vererbt hat. Und dieses Talent hat in den kleinen Wallfahrtskirchen, wie der Kirche in der Wies,⁴ wirkliche Meisterwerke hervorgebracht.
DAVID	Wenn man die Bayrischen Alpen gesehen hat, versteht man, warum unsere G.I. sich so gern nach Deutschland schicken lassen! Ihren Sommer- oder Winterurlaub können sie dort in einem der komfortablen Erholungsheime für einen Dollar pro Tag verbringen . . .
BARBARA (Lacht)	Und die ganze Familie mit Kind und Kegel können sie auch dorthin mitnehmen. Im Eispalast von Garmisch-Partenkirchen wird ihnen sogar eine erstklassige „ice-show" geboten.
DAVID	Und wenn sie mitten im Winter auf Urlaub gehen, so können sie nach Herzenslust Schlittschuh oder Schi laufen . . .
HANSJÜRGEN (Leicht ironisch)	Wenn sie sich dabei etwa ein Bein oder einen Arm brechen sollten, so haben sie die seltene Chance, in eines der schönstgelegenen Krankenhäuser zu kommen: das General Walker Hospital bei Berchtesgaden!
HILDE	Na ja, das hätte sich Hitler auch nicht träumen lassen, daß einmal das elegante

⁴ Kirche in der Wies: *The Pilgrim Church in the Meadows near Oberammergau. A rococo masterpiece of Dominikus Zimmermann, painted white with a lavish trimming of gold and pastel colors.*

96

HANSJÜRGEN Hotel, das er neben seinem Adlernest
bauen ließ, ein Krankenhaus für amerikanische Soldaten werden würde . . .
Und das einsame, stolze Adlernest ist ein
Ausflugsziel für Touristen geworden, die 5
von hier oben die schönste Aussicht auf
die Alpen genießen, bis hinüber nach
Salzburg in Österreich.

Fragen

1. Sind die Alpen nur in der Schweiz? 2. Was muß der
Tourist tun, wenn er durch die Alpenländer reist? 3. Was
wünscht sich der Tourist, der durch Europa reist? 4. Wie sind
die Entfernungen in Amerika, verglichen mit Europa? 5. Was
haben Eisenbahn, Bergbahn und Auto möglich gemacht? 6.
Welche seltenen Tiere kann man vom Königssee aus sehen?
7. Warum sind die Alpen anders als amerikanische Hochgebirge? 8. Wie sehen die Alpenhäuser aus? Beschreiben Sie ein
Alpenhaus! 9. Nennen Sie einige deutsche Blumen, die in
„chen" endigen! 10. Was sieht man auf den Hausfassaden in
manchen Orten? 11. Wie alt ist das Passionsspiel von Oberammergau? 12. Welchen Beruf haben die meisten Einwohner von
Oberammergau? 13. Warum sind die Mittenwalder Violinen in
Gefahr? 14. Welches Talent vererbt sich von Generation zu
Generation? 15. Was gibt es für die amerikanischen Soldaten
in Garmisch-Partenkirchen und in Berchtesgaden? 16. Was
ist heute Hitlers „Adlernest?"

Übersetzungsübung

1. I am not very well informed on the geography of Germany.
2. Do you know to which countries the Alps belong? 3. One
day, there will be the United States of Europe. 4. In only a two
hours' ride with the cog railway we can be on the top of

the Zugspitze. 5. Modern means of transportation penetrate (un)to the most remote places. 6. Your mountain ranges are so different from ours! 7. This landscape is really to my taste. 8. The Germans have given to flowers most affectionate names that all end in "chen." 9. The Passion Play is given only every tenth year. 10. Not the individual player, but the community benefits from the returns of the Play. 11. The players look as if they came from the land of the Bible. 12. The woodcarvings are being sold all over the world. 13. The artistic talent is transmitted from one generation to the next. 14. An American soldier can spend his furlough in a vacation home for one dollar per day. 15. I never would have dreamt it!

Die malerische Landschaft bei Garmisch-Partenkirchen

12 Die bayrischen Königsschlösser

HANSJÜRGEN	Barbara und David, darf ich Ihnen meinen Freund Dr. Joseph Hofgruber vorstellen? (*Dr. Hofgruber macht eine leichte Verbeugung vor Barbara. Sie streckt ihm die Hand entgegen und sagt*)
BARBARA	Ich heiße Barbara Smith. Sehr erfreut, Sie kennenzulernen, Herr Doktor.
DAVID	(*Schüttelt Dr. Hofgruber die Hand*) Und ich bin Barbaras Bruder David.
DR. HOFGRUBER	Es ist für mich ein besonderes Vergnügen, Amerikaner kennenzulernen, die so gut Deutsch sprechen.
	(*Barbara lächelt, sichtlich geschmeichelt*)
HANSJÜRGEN	Ich habe Sepp[1] gebeten, uns von den bayrischen Königsschlössern zu erzählen, die wir gesehen haben. Er ist nämlich

[1] Sepp: *or Seppl, nickname for Joseph in Bavarian dialect.*

Kunsthistoriker und ein Experte in bayrischer Kunst.

BARBARA Das ist ja wunderbar! Ich habe Herrn Dr. Hofgruber so viel darüber zu fragen . . .

DR. HOFGRUBER O, es wird mir ein Vergnügen sein, Fräu- 5 lein Smith, mit Informationen dienlich zu sein, soweit meine bescheidenen Kenntnisse der Materie das erlauben.

HILDE Sehen Sie, das ist typisch deutsch! Unsere Herren Gelehrten, die so schrecklich viel 10 wissen, hüllen sich zu gerne in den Mantel falscher Bescheidenheit . . .

BARBARA Als unbescheidene Amerikanerin möchte ich gleich die Diskussion beginnen mit der Frage: Finden Sie, Herr Doktor, die 15 Schlösser König Ludwigs II.² geschmackvoll?

DR. HOFGRUBER (*Lächelt verlegen*) Gnädiges Fräulein, über den Geschmack soll man nicht streiten. Neuschwanstein, Linderhof und Herren- 20 chiemsee sind Schlösser, die sich ein Phantast auf dem Königsthron hat bauen lassen.

HANSJÜRGEN Welcher Mensch aus Fleisch und Blut möchte in diesen exzentrischen Schlössern leben wollen! Noch dazu so wie König 25 Ludwig ohne Frau, ohne Familie, ohne Freunde, fern von allen Menschen . . .

HILDE Was für eine Idee, sich mitten auf einer Insel im Chiemsee ein Schloß erbauen zu lassen, das größer und luxuriöser sein 30 sollte als Versailles,³ und in diesem Prunkschloß niemals Gäste zu empfangen!

DAVID Aber man hat uns doch erzählt, daß der Bayernkönig einen illustren Gast auf

² Ludwig II.: *King of Bavaria, reigned 1864–86.*
³ Versailles: *Near Paris, the famous castle built in the 17th century for Louis XIV, the Sun King.*

Schloß Hohenschwangau

seinem Schloß Herrenchiemsee[4] empfing.
Das war der Geist König Ludwigs XIV.
von Frankreich, des „Sonnenkönigs," der
seit 150 Jahren tot war. Für den hatte er
sogar das schönste Schlafzimmer reserviert 5
. . .

DR. HOFGRUBER Es ist gut, daß man das verwunschene
Schloß aus seinem Zauberschlaf erweckt
hat und heute Besucher aus aller Herren
Ländern es besichtigen können. 10

BARBARA O, das Mozartkonzert in der Spiegelgalerie[5] von Herrenchiemsee werde ich
mein Lebtag nicht vergessen! Der ganze
Saal erleuchtet von Tausenden von Kerzen
in Kronleuchtern und Kandelabern, und 15

[4] Herrenchiemsee: *Castle built 1878–85 on the Herreninsel in Lake Chiem, near the highway from Munich to Salzburg.*
[5] Spiegelgalerie: *Hall of mirrors, 98 meters long, contains 52 candelabras and 33 crystal chandeliers which can be lit by 1900 candles.*

Besichtigung der Spiegelgalerie im Schloß Herrenchiemsee
bei Kerzenbeleuchtung

alle Mitwirkenden, Musiker und Diener, im Rokokokostüm . . .

DAVID Ist es wahr, daß der Bau dieses Schlosses 20 Millionen Goldmark gekostet hat?

DR. HOFGRUBER Ja, der König hatte sich und die Staatskasse 5 so tief in Schulden gestürzt, daß die Bayrische Regierung ihn als unverantwortlich absetzen ließ.

HILDE Und das hat der geisteskranke König nicht lange überlebt. Ein paar Tage danach 10 fand man seine Leiche im Starnberger See bei München. So endete sein Leben mit 40 Jahren.

HANSJÜRGEN In diesem kurzen Dasein gab es wohl nur einen einzigen lebenden Menschen, den 15 der junge König geliebt hat. Und dieser eine hieß Richard Wagner.

DR. HOFGRUBER Der Komponist des Lohengrin, des Tannhäuser und des Nibelungenringes. Für König Ludwig war Wagner ein Held, der 20 die heroische Tat vollbracht hatte, die Helden der deutschen Sagen zum Leben zu erwecken.

HILDE Seitdem der sechzehnjährige Kronprinz Ludwig Wagners Lohengrin zum ersten 25 Male auf der Bühne gesehen hatte, beherrschte der Schwanenritter seine Phantasie. In Neuschwanstein,[6] auf steilem Felsen hoch über dem Schwansee und dem Alpsee, ließ er das Lohengrin-Schloß er- 30 bauen, die Vision einer mittelalterlichen Burg.

DAVID (*Lacht*) Kein Wunder, daß Neuschwanstein jetzt das meistphotographierte

---

[6] Neuschwanstein: *The New Swan Rock Castle near Füssen in the western Alps, built from 1870 to 1886.*

Schloß in Deutschland ist, vielleicht sogar
in Mitteleuropa. Ein richtiges Ansichts-
kartenschloß, ideal für Hollywoodfilme, die
im Mittelalter spielen.

BARBARA Wenn ich eine Filmschauspielerin wäre, 5
so möchte ich nicht eine einzige Nacht in
diesem tollen Schlosse verbringen. Da
müssen ja die Geister um Mitternacht
spuken. Das Bett, in dem der König
schlief, ist selbst ein Alptraum.[7] 10

HANSJÜRGEN Wenn der überhaupt schlief oder schlafen
konnte, so war es nicht nachts, sondern am
Tage. Nachts galoppierte er bei Mondschein über Land oder raste in einem

---

[7] Das Bett . . . ein Alptraum: *A carved oak bed canopy in late gothic style which
took 17 men 4½ years to carve.*

	vergoldeten Schlitten, von sechs Pferden gezogen, über den Schnee.
HILDE	Sechs Pferde, mit hohen Federbüschen geschmückt, waren ihm aber nicht romantisch genug. Er wünschte sich, von 5 seinen Lieblingstieren, den Pfauen,[8] gezogen zu werden. Er soll sogar den Schah von Persien gebeten haben, ihm Pfauen zu schicken, die stark genug wären, einen bemannten Schlitten zu ziehen. 10 Aber darauf hat er nie eine Antwort bekommen . . .
DR. HOFGRUBER	Nun, das ist auch eine der vielen Anekdoten, die über Ludwig II. erzählt werden. Sicher ist, daß er wie alle Romantiker die 15 Nacht zum Tage machte. Daher auch seine Vorliebe für unterirdische Grotten.
BARBARA	O, wie zum Beispiel die Theater-Grotte, die er sich im Schloß Linderhof[9] einbauen ließ, mit ihren künstlichen Stalaktiten, dem 20 künstlichen kleinen See und dem gemalten Venusberg im Hintergrund.
DAVID	In dieser Operngrotte, von Scheinwerfern dunkelblau erleuchtet, fuhr er als Lohengrin gekleidet in einem Muschelboot 25 spazieren . . .
BARBARA	Ist es nicht schade, jammerschade um diesen jungen, schönen König von Bayern? Wenn er seine Phantasie auf nützlichere Dinge als Traumschlösser angewendet 30 hätte, so wäre sein Leben, glaub' ich, um vieles glücklicher geworden . . .

[8] Pfauen: *Peacocks as symbols of royal splendor are found in all castles of Ludwig II.*

[9] Linderhof: *Near Oberammergau, an imitation of the Trianon castle at Versailles, built in rococo style.*

Fragen

1. Wer ist Dr. Joseph Hofgruber? 2. Warum ist Dr. Hof-, gruber, nach Hildes Meinung, typisch deutsch? 3. Findet Dr. Hofgruber die Schlösser König Ludwigs II. geschmackvoll oder nicht? 4. Wie lebte König Ludwig in seinen Schlössern? 5. Welchen Gast hat Ludwig II. in Herrenchiemsee empfangen? 6. Ist Herrenchiemsee noch heute ein verwunschenes Schloß? 7. Was findet in der Spiegelgalerie statt? 8. Warum ließ die Bayrische Regierung den König absetzen? 9. Wie alt wurde König Ludwig II? 10. Wen liebte der junge König? 11. Welcher Ritter beherrschte seine Phantasie? 12. Was ist Neuschwanstein? 13. Was tat der Bayernkönig, wenn er nachts nicht schlief? 14. Welche Tiere liebte er am meisten? 15. Wozu benutzte er die blaue Grotte im Schloß Linderhof? 16. Warum ist es, nach Barbaras Meinung, schade um den jungen König?

Übersetzungsübung

1. I am very pleased to meet you, Doctor. 2. It will be my pleasure to be of service to you. 3. King Ludwig II had three castles built in the Bavarian Alps. 4. I would not like to live in any one of these castles. 5. In his luxurious castle of Versailles the Sun King received many illustrious guests. 6. Nowadays, visitors from all countries are able to view the enchanted castle. 7. For the Mozart concerts, the Hall of Mirrors is illuminated by thousands of candles. 8. The king was dethroned because he had run himself and the state treasury into heavy debts. 9. Richard Wagner became the hero of his life. 10. The Lohengrin Castle of Neuschwanstein, built upon a high crag, is the vision of a medieval castle. 11. Among all castles of Germany, it is the most-photographed. 12. Nobody can sleep in such a bed without (having) nightmares. 13. It is said that he asked the Shah of Persia to send him peacocks, his favorite birds. 14. Every romanticist prefers the night to the day. 15. He would have been happier if he had turned his imagination to more useful matters.

13 Nürnberg, die Stadt der Meistersinger[1]

HILDE	Das ist der Hauptmarkt von Nürnberg, das Herz der Altstadt. Ein Bild, das sich seit fünf Jahrhunderten kaum verändert hat. Die gotische Frauenkirche[2] mit ihrer berühmten mechanischen Uhr, dem 5 „Männleinlaufen,"[3] davor der Schöne Brunnen,[4] rings herum die stattlichen alten Fachwerkhäuser.
BARBARA	Und natürlich werden auf diesem Marktplatz noch immer Blumen und Obst 10

[1] Meistersinger: *Guild of master-craftsmen who, as a hobby, studied writing of poetry and setting their verses to music. The guild was made up, as all guilds, of three levels of achievement: Lehrling (apprentice), Geselle (journeyman) and Meister (master).*

[2] Frauenkirche: *Church of Our Lady, built 1352–1361.*

[3] Männleinlaufen: *Manikins' Run, dating from 1509; an ingenious clock work shows the Seven Electors paying homage to the Emperor Charles IV.*

[4] Der Schöne Brunnen: *The Beautiful Fountain, with a delicate stone tracery from the late 14th century, a pyramid about 60 feet high, adorned with 40 stone figures.*

verkauft von den Bauernfrauen, die vom Lande hereinkommen.

HANSJÜRGEN Das ist so auf allen Marktplätzen deutscher Städte. Aber Sie sollten einmal den Markt zur Weihnachtszeit sehen! Dann 5 wird er zum Christkindlmarkt. Alles, was Nürnberg produziert, wird dann in den Weihnachtsbuden verkauft: vor allem das Nürnberger Spielzeug,[5] die weltberühmten Lebkuchen,[6] der Christbaum- 10 schmuck, die Rauschgoldengel[7] . . .

DAVID Schon als wir über den Wall fuhren, der die ganze Stadt noch heute umgibt, hatte ich den Eindruck, daß wir auf einmal ins späte Mittelalter zurückversetzt wurden. 15 Die Neuzeit, in der wir leben, hörte auf, und die Zeit des Hans Sachs[8] und seiner Meistersinger tat sich vor uns auf.

BARBARA Als ich meinen sechzehnten Geburtstag hatte, nahmen mich meine Eltern zum 20 ersten Male in die Oper mit. Man spielte Wagners „Die Meistersinger von Nürnberg." Seitdem habe ich immer Nürnberg, die Stadt der Meistersinger, sehen wollen. 25

HILDE O, uns Deutschen geht das auch so! Wer Wagners Oper erlebt hat, will die Werke der deutschen Meister in Nürnberg sehen, dort wo sie einmal gelebt haben: Hans Sachs, der Schuhmacher und Dichter, Al- 30

---

[5] Nürnberger Spielzeug: *The export of Nuremberg toys produced in five large toy factories and many small ones is said to amount to 130 million marks a year.*

[6] Lebkuchen: *Gingerbread, a German specialty at Christmas-time, exported to all countries.*

[7] Rauschgoldengel: *Christmas angels made of gold and silver tinsel.*

[8] Hans Sachs (1494–1576): *Shoemaker and poet, leading mastersinger of Nuremberg, prodigious writer of poems, fables and playlets.*

Die Frauenkirche und der Schöne Brunnen in Nürnberg

brecht Dürer,[9] Deutschlands größter Maler, Veit Stoß,[10] Adam Kraft[11] und Peter Vischer,[12] die großen Bildhauer, und so viele andere dazu . . .

HANSJÜRGEN Es ist merkwürdig, sie sind doch seit vier- 5 hundert Jahren tot, und dennoch hat man hier in Nürnberg das Gefühl, daß sie noch leben. Manchmal glaubt man sogar, daß man ihnen bei Mondschein auf der Straße begegnen könnte! 10

BARBARA Der Hans Sachs war wirklich ein Schuh- macher und Poet dazu? Ich dachte, Wag- ner hätte sich das nur in seiner Phantasie so ausgedacht.

DAVID O nein, Barbara. In unserer Deutsch- 15 stunde haben wir gelernt, daß der Schuh- machermeister Hans Sachs fast eine halbe Million Verse geschrieben hat, obwohl er von frühmorgens bis in die Nacht hinein Schuhe besohlte. 20

HANSJÜRGEN Und außerdem hatte er noch Zeit, eine Singschule zu leiten. Da lehrte er die braven Handwerksmeister zu reimen und zu komponieren. Nun, es waren keine Meisterwerke, die seine Meister-Schüler 25 produzierten, aber sie waren dennoch stolz darauf.

HILDE Ja, sie waren stolz auf ihr gutes Handwerk,

9 Albrecht Dürer (1471–1528): *The greatest of German painters and engravers. His works are found in museums all over the world, while the Dürer House in Nuremberg contains mainly reproductions of his paintings.*

10 Veit Stoß (ca 1445–1533): *Together with Tilman Riemenschneider one of Germany's greatest wood carvers. His Angelic Salutation in the St. Lorenz Church is considered his best work.*

11 Adam Kraft (ca 1455–1509): *Stone sculptor; among his finest works is the 60 feet limestone tabernacle in the St. Lorenz Church.*

12 Peter Vischer (ca 1445–1529): *Bronze sculptor, had his five sons working with him. One of his chief works is the Shrine of St. Sebaldus in Nuremberg.*

auf ihre Meister in den Künsten und vor
allem auf ihre gute Stadt. Und darum,
glaub' ich, ist Nürnberg eine so schöne
Stadt geworden und bis heute geblieben.

BARBARA Wie kommt es aber, daß gerade Nürnberg 5
in der Zeit der Reformation so viele große
Meister der Künste angezogen hat, mehr
als jede andere deutsche Stadt?

HANSJÜRGEN Nürnberg war eine reiche Stadt im
späten Mittelalter und der beginnenden 10
Neuzeit. Handel und Gewerbe blühten
hier, und die Maler und Bildhauer be-
kamen Aufträge, Werke aus Stein, Bronze
und Holz zum Schmuck der Stadt und
ihrer Kirchen zu schaffen. 15

DAVID Es ist aber wie ein Wunder, daß fast alle
diese Bauten und Kunstwerke bis heute
erhalten sind. Ich hatte gefürchtet, daß
der letzte Weltkrieg mit seinen Bomben
das meiste zerstört haben könnte. 20

HILDE Ja, es ist viel zerstört worden. Aber Gott
sei Dank hat man auch viel retten können.
Die unersetzlichen Schätze des Germanischen Nationalmuseums, Zeugnisse
der Geschichte deutscher Kultur, hatte 25
man rechtzeitig in Sicherheit gebracht.
Und ein großer Teil der zerstörten Bauten
ist wiederaufgebaut worden.

HANSJÜRGEN Zum Beispiel die Lorenzkirche, nicht weit
vom Hauptmarkt. Eine amerikanische 30
Stiftung hat eine Million Mark zum
Wiederaufbau dieser berühmten Kirche
mit ihren schönen bunten Glasfenstern
gespendet. Dafür sind wir Deutsche sehr
dankbar. 35

HILDE In Nürnberg hat man die meisten Bau-

111

Veit Stoß' „Engelischer Gruß" in der Lorenzkirche

werke wie kostbare Gemälde restauriert.
Sie haben ihr altes Gesicht treu bewahrt.
Nur manchmal hat man ein historisches
Gebäude mit neuen Bauteilen verjüngt.

BARBARA Sie meinen gewiß das neue Stadtjugendhaus 5
dort oben auf der Burg,[13] die einstige
Kaiserstallung?

HILDE Ganz richtig. Ja, der Bau war ein großer
Trümmerhaufen. Mit den alten Steinen
hat die Stadt Nürnberg eine der schönsten 10

[13] Die Burg: *Composed of the Kaiserstallung (Imperial Stables) constructed in
1495 as a granary, the Burggrafenburg (Burgraves' Castle) from the 11th
century and the Kaiserburg or Emperor's Castle dating mostly from the 16th
century.*

	modernen Jugendherbergen erstehen las-sen, an derselben Stelle, auf der dieser Teil der mächtigen Kaiserburg stand. Die Jugendherberge ist neu und paßt dennoch in die mittelalterliche Burg hinein. 5
BARBARA	(*Lacht*) Eigentlich sollte Nürnberg Nürn-burg heißen, nach der Burg, die das ganze Stadtbild beherrscht.
HANSJÜRGEN	Aber nicht jede deutsche Stadt, die eine Burg hat, führt deshalb das Wort Burg in 10 ihrem Namen. Der Berg, auf dem die Burg steht, hat oft der Stadt den Namen gegeben.
DAVID	Ist es wahr, daß Nürnberg zur Zeit Dürers eine ganz protestantische Stadt war und 15 noch heute zwei Drittel der Einwohner lutherischen Glaubens sind?
HILDE	Das stimmt wohl. In der Reformation ging der Markgraf von Nürnberg zum Protestantismus über und mit ihm die 20 ganze Bevölkerung.
HANSJÜRGEN	Bilder wie Dürers „Ritter, Tod und Teufel" oder sein Selbstportrait, das wir im Dürerhaus bewundert haben, sind doch Werke einer neuen Zeit, in der der 25 gläubige Mensch sich vor nichts mehr fürchtet, außer vor Gott und seinem Ge-wissen.
DAVID	In Dürer ist der tiefe Ernst seiner Zeit, und in Hans Sachs der warme Humor, der 30 über die Schwächen der Menschen lachen kann und doch die Menschen liebt.
BARBARA	Bevor wir von Nürnberg abfahren, möchte ich mir gern ein schönes Andenken an diese Stadt kaufen. 35
HILDE	Aber Barbara, Sie haben doch so viel in

	Nürnberg geknipst. Damit können Sie ein ganzes Photoalbum füllen . . .
HANSJÜRGEN	(*Lacht*) Nun, vielleicht kaufen Sie sich noch einen Nürnberger Trichter als Andenken. 5
BARBARA	Einen Trichter? Wozu?
HANSJÜRGEN	O, der Nürnberger Trichter, der ist die Erfindung eines Schlaukopfes. Mit diesem Trichter kann man jedem Dummkopf die Weisheit ins Gehirn einträufeln. Eine 10 gute Erfindung, die manchen Lehrern und Lehrerinnen nützlich sein könnte . . .
BARBARA	Stammt diese Idee etwa auch von Hans Sachs? Ich glaube, ich kaufe mir lieber ein paar Pakete echt Nürnberger Leb- 15 kuchen, und zwar gleich. Ich habe näm- lich schrecklichen Hunger.
HANSJÜRGEN	In diesem Falle schlage ich vor, daß wir rasch eine andere Nürnberger Spezialität probieren, die Bratwurst. 20
HILDE	Und für diese Spezialität gibt es in Nürn- berg drei oder vier Bratwürstlstuben.[14] Jede von ihnen behauptet, daß sie allein das Geheimnis der echten Nürnberger Bratwurst besitze. (*Alle lachen*). 25

[14] Bratwürstlstube: *A small tavern where fried sausage is served as the unique speciality. Bratwürstl for Bratwurst is Bavarian dialect.*

Fragen

1. Was ist der Hauptmarkt von Nürnberg? 2. Was wird auf dem Marktplatz verkauft? 3. Was verkauft man auf dem Markt zur Weihnachtszeit? 4. Welchen Eindruck hat man, wenn man über den Wall in die Stadt hineinfährt? 5. Welche

114

Das Dürerhaus in Nürnberg

Oper spielt in Nürnberg? 6. Wie heißen einige große Meister der Kunst, die in dieser Stadt lebten? 7. Wer war Hans Sachs? 8. Was lernte man in einer „Singschule" im Mittelalter? 9. Worauf waren die Handwerker stolz? 10. Warum hat Nürnberg so viele Meister der Künste angezogen? 11. Ist ganz Nürnberg durch die Bomben im letzten Kriege zerstört worden? 12. Wie hat man die Schätze des Germanischen Nationalmuseums retten können? 13. Wer half beim Wiederaufbau der berühmten Lorenzkirche? 14. Welcher neue Bau steht heute auf der Burg von Nürnberg? 15. Ist Nürnberg heute eine katholische Stadt? 16. Warum sind Dürers Werke der Ausdruck einer neuen Zeit? 17. Was ist der Nürnberger Trichter? 18. Welche Spezialitäten von Nürnberg sind weltberühmt?

Übersetzungsübung

1. For many centuries, old German cities hardly changed. 2. Genuine Nuremberg gingerbread and toys are sold on the Christmas market in Nuremberg. 3. Today, a large wall still surrounds the old city of Nuremberg. 4. When you enter this city, all of a sudden you have the impression of being carried back to the middle ages. 5. Since I saw Wagner's opera "Die Meistersinger von Nürnberg," I have wanted to see this city. 6. Sometimes I felt that I might meet the mastersingers on the street. 7. The master craftsmen were proud of their work and of their good city of Nuremberg. 8. Since commerce and trade were prospering in Nuremberg, the city attracted many master craftsmen. 9. Much was destroyed during the last world war, but most fortunately much could also be saved. 10. An old historic building must be restored like a precious painting. 11. The city has a modern youth hostel built on the place of the former Emperor's stables. 12. A religious man is not afraid of anything but God and his conscience. 13. You have real humor if you love man and yet can laugh at his weaknesses. 14. The best souvenirs of a city are the pictures you take yourself. 15. Among the specialties of Nuremberg, gingerbread and fried sausages are the most famous.

14 Die Romantische Straße

DAVID   Ja, die Deutschen verstehen es, schöne
Namen zu erfinden. Sogar ihren moder-
nen Autostraßen geben sie klangvolle
Namen, die die Phantasie erregen und die
Vergangenheit wachrufen.   5

HANSJÜRGEN   Warum soll denn eine Autostraße nur
eine Nummer haben oder eine trockene
geographische Bezeichnung? Von den
Amerikanern haben wir doch gelernt,
daß ein Produkt mit einem attraktiven 10
Namen leichter verkauft wird.

BARBARA	O ja, da haben Sie ganz recht. Ich finde es viel verlockender, über die Nibelungenstraße[1] oder über die Dichterstraße[2] zu fahren als—sagen wir—über Straße Nr. 73A oder 98B. (*Alle lachen*) 5
DAVID	Und wie ist man auf diese anziehenden Namen gekommen? Wer hat die erfunden?
HILDE	Da brauchen wir nicht erst lange zu suchen, um solche Namen für unsere 10 Überlandstraßen zu finden. Sie ergeben sich fast von selbst aus der Geschichte, der Legende und der Landschaft.
HANSJÜRGEN	Romantische Straße, so heißt die über 300 Kilometer lange Autostraße, die von Füs- 15 sen in den Alpen bis nach Würzburg am Main führt. Romantisch, weil sie aus unserer Gegenwart tief in die Vergangenheit hinein führt.
BARBARA	Aber führen nicht viele deutsche Straßen 20 in die Vergangenheit, in das romantische Deutschland, wie es einst war?
HILDE	Gewiß. Aber an keiner andern Straße liegen Märchenstädte wie Rothenburg ob der Tauber, Dinkelsbühl und Nördlingen. 25 Andere alte Städte haben eine Altstadt und eine Neustadt oder doch neue Bauten mitten in der Altstadt. Aber Rothenburg, Dinkelsbühl und Nördlingen sehen noch heute genau so aus wie vor vier- oder fünf- 30 hundert Jahren. Sie haben sogar den

---

[1] Nibelungenstraße: *Road of the Nibelungen (the Siegfried legend) leading from Worms on the Rhine to Würzburg on the Main river.*
[2] Dichterstraße: *Poets' Road, the highway leading south from Stuttgart to Hechingen, near Hohenzollern Castle.*

Blick auf Rothenburg ob der Tauber

	Dreißigjährigen Krieg[3] heil überstanden.
DAVID	Und auch den letzten Weltkrieg mit seinen Bomben, die doch so viel vernichtet haben.
HANSJÜRGEN	Sie kennen ja die berühmte Geschichte vom Meistertrunk, der Rothenburg im Dreißigjährigen Kriege vor der Zerstörung gerettet haben soll.
BARBARA	Ist es wirklich wahr, daß der Bürgermeister von Rothenburg einen Humpen mit 6½ Litern Wein auf einen Zug ausgetrunken hat und der General der kaiserlichen Truppen daraufhin die Stadt verschonte?
HILDE	Nun, der Stadtschreiber hat das so im Jahre 1631 in die Archivbücher einge-

[3] Der Dreißigjährige Krieg: *Thirty Years' War (1618–1648), a religious war following the Reformation, that devastated Germany.*

„Der Meistertrunk" von Rothenburg

tragen. Vielleicht hat er dabei ein
bißchen übertrieben. Immerhin war es
ein Meistertrunk.

DAVID   Und die Rothenburger Bürger sind noch
heute so stolz auf ihren Bürgermeister 5
Nusch, daß sie ihm zu Ehren eine mechanische Spieluhr[4] erbaut haben, und jeden
Tag zweimal, um 11 und um 12 Uhr, wird
der Meistertrunk bildlich wiederholt.

[4] Mechanische Spieluhr: *A mechanical clock showing two little figures; the one
represents General Tilly, the other the burgomaster who drains his tankard
throwing back his mechanical head while the general watches.*

120

Kapitel 14

HANSJÜRGEN   Außerdem wird jedes Jahr zu Pfingsten auf dem Rothenburger Marktplatz ein Festspiel aufgeführt, das den historischen Trunk feiert. Ein hübsches Spiel mit Musik und Tanz, bei dem alle Mitwir- 5 kenden in Kostümen des 17. Jahrhunderts erscheinen.

HILDE   In Dinkelsbühl, so erzählt man, haben die Kinder ihre Stadt im Dreißigjährigen Kriege vor der Zerstörung gerettet. Sie 10 gingen zum Schwedenkönig Gustav Adolph,[5] der die Stadt belagerte, knieten vor ihm nieder und baten ihn um Gnade. Der König war so gerührt, daß er nachgab.

BARBARA   Eine rührende Geschichte. Wenn sie viel- 15 leicht auch nicht wahr ist, so ist sie doch gut erfunden.

DAVID   Daß John McCloy[6] im letzten Kriege die Stadt Rothenburg durch seine Interven- tion vor der Zerstörung durch Bomben 20 gerettet hat, das ist eine Tatsache. McCloy wußte, daß das kleine Rothenburg über dem Tauberfluß ein unersetzliches Juwel mittelalterlicher Stadtbaukunst ist. Er ging zum kommandierenden General der 25 alliierten Truppen und bat ihn, Rothen- burg zu verschonen.

HILDE   (*Lacht*) Und dieses Meisterstück hat er ohne einen Meistertrunk zustandege- bracht . . . 30

BARBARA   Die Nürnberger Spielzeugfabrikanten

---

[5] Schwedenkönig Gustav Adolph: *The King of Sweden, leader of the Protestants during the Thirty Years' War.*
[6] John McCloy: *During World War II a high ranking officer of the US War Department who later became High Commissioner for the Federal Republic of Germany.*

sollten eine Spielzeugschachtel herstellen, mit deren Inhalt die Kinder das Modell einer mittelalterlichen Stadt wie Rothenburg zusammensetzen können. Ich finde, die Stadt sieht noch heute so aus, als 5 wäre sie ein Spielzeug für die großen Kinder, die Touristen.

HANSJÜRGEN O ja, sie klettern auf den Wall mit seinem Wehrgang, der die ganze Stadt umgibt, bewundern die dicken Türme, 10 gucken durch die Schießscharten zwischen den Zinnen, und wenn man ihnen eine Armbrust in die Hand gäbe, so würden sie gewiß auf den unsichtbaren Feind dort unten im Taubertal schießen . . . (*Alle* 15 *lachen herzhaft*).

DAVID Eine glänzende Idee von Ihnen, Hansjürgen! Ich schlage vor, wir schreiben dem Herrn Bürgermeister von Rothenburg einen Brief und empfehlen ihm, das 20 Armbrustschießen als eine neue Attraktion für Touristen einzuführen. Natürlich müssen die Touristen als mittelalterliche Landsknechte angezogen sein.

BARBARA Der Meisterschütze wird dann zu einem 25 Ehrentrunk in der Ratstrinkstrube eingeladen und zum Ehrenbürger von Rothenburg ernannt. (*Alle lachen*)

DAVID Wenn ich als Amerikaner einen Preis zu verleihen hätte, so würde ich ihn „für 30 besondere Sauberkeit" der Stadt Rothenburg geben. Wie blitzblank dieses Städtchen trotz seines Alters noch immer aussieht!

HANSJÜRGEN O David, wir sind doch in Deutschland! 35 Bei uns sind alle Städte, auch die ältesten,

Eine mittelalterliche Gasse in Rothenburg

schmuck und sauber. Bei uns wird immerzu gefegt, gewaschen und geputzt, bis
das letzte Staubkörnchen verschwunden
ist.

BARBARA Ich glaube, im Verbrauch von Seife wer- 5
den die Deutschen von keinem andern
Volk überboten—außer von uns Amerikanern natürlich . . .

HILDE Es ist eigentlich schade, daß die amerikanischen Touristen nur Rothenburg be- 10
suchen und Dinkelsbühl links liegen lassen. Ich finde Dinkelsbühl noch schöner
als das Städtchen ob der Tauber.

HANSJÜRGEN In Rothenburg stehen die alten Giebelhäuser geradlinig in Reih und Glied wie 15
Soldaten. In Dinkelsbühl aber wachsen
die Häuser ganz natürlich aus dem Boden
wie die Bäume im Wald.

HILDE Den Marktplatz von Dinkelsbühl muß
man einmal im Vollmondschein gesehen 20
haben! Mitten auf dem Platz steht die
Statue eines Märchenerzählers, zu dessen
Füßen zwei Kinder andächtig jedem seiner
Worte lauschen. Eine feierliche Stille
liegt dann über dem Markt und der Stadt; 25
nur das Wasser im Brunnen murmelt leise
dazu . . .

DAVID Mir wird ganz sentimental zumute. Eigentlich sollten wir jetzt eines der schönen
Volkslieder singen, wie „Am Brunnen vor 30
dem Tore, Da steht ein Lindenbaum..."[7]
(*Er beginnt, leise die Melodie vor sich hin
zu singen*)

---

[7] Am Brunnen vor dem Tore: *the beginning of a poem by Wilhelm Müller
which has become a popular song. "At the fountain in front of the town
gate, There stands a Lindentree . . ."*

Dinkelsbühl mit seinen alten Mauern

| BARBARA | Ich weiß nicht, wie ich mir das erklären soll: Die Deutschen lieben den Fortschritt ebenso wie wir Amerikaner, und zugleich sind sie noch immer so verliebt in ihre Romantik der guten alten Zeit . . . 5 |

Fragen

1. Warum geben die Deutschen ihren Autostraßen klangvolle Namen? 2. Warum heißt die Autostraße von Füssen bis Würzburg die Romantische Straße? 3. Wie sieht Rothenburg heute noch aus? 4. Wodurch hat der Bürgermeister von Rothenburg seine Stadt gerettet? 5. Was ist das Festspiel „Der Meistertrunk"? 6. Was taten die Kinder von Dinkelsbühl im Dreißigjährigen Krieg? 7. Was hat John McCloy für Rothenburg im letzten Kriege getan? 8. Welchen Eindruck haben manche Touristen, wenn sie Rothenburg sehen? 9. Wie können die Touristen das mittelalterliche Rothenburg am besten

kennen lernen? 10. Was kann man auf dem Wall sehen, der die ganze Stadt umgibt? 11. Welche Attraktion könnte man für Touristen in Rothenburg einführen? 12. Was ist ein Meisterschütze? 13. Wofür sollte man Rothenburg einen Preis verleihen? 14. Wie sind auch die ältesten deutschen Städte? 15. Wie sind die Giebelhäuser in den Straßen von Rothenburg gebaut? 16. Warum wirken die Häuser in Dinkelsbühl so natürlich? 17. Beschreiben Sie den Marktplatz von Dinkelsbühl im Mondschein. 18. Wie heißt ein schönes deutsches Lied vom Lindenbaum?

Übersetzungsübung

1. A beautiful name for a highway excites the imagination. 2. A product with an attractive name can be sold more easily. 3. In Germany, many roads lead from the present into the romantic past. 4. Rothenburg still looks exactly as it was five hundred years ago in the Middle Ages. 5. It is said that a drink saved this city from destruction during the Thirty Years' War. 6. Don't you think that he exaggerated a little bit? 7. You should see the beautiful festival play that is performed every year in the market place. 8. A story may be well-conceived and yet not be true. 9. How did he achieve his masterpiece? 10. The city looks as if it were a toy for big children. 11. If I had a cross bow, I would shoot. 12. Why don't you write him a letter and recommend that he introduce this new attraction for tourists? 13. If we had to grant a prize, we would give it to this city for cleanliness. 14. It is a pity to neglect a little town like Dinkelsbühl because it is not well-known. 15. How can you explain that the Germans like progress and at the same time are enamored with the good old times?

15 In Franken

Richard Wagner

BARBARA

Jetzt verstehe ich, warum Richard Wagner sich das kleine, stille Bayreuth ausgesucht hat, um dort sein Festspielhaus zu erbauen und sein Haus „Wahnfried,"[1] in dem er in Frieden schaffen konnte. 5

HILDE

Ja, um Werke wie den „Ring"[2] oder den „Parsifal"[3] zu erleben, muß man wohl den Alltag hinter sich lassen. Wagner glaubte, das wäre im Hasten der Großstadt unmöglich. 10

[1] Haus Wahnfried: *This name which Wagner gave to his house means "The house where I shed my illusions and found peace."*
[2] Ring: *The tetralogy "The Ring of the Nibelungs," Wagner's most extensive work for which the Festival playhouse was built.*
[3] Parsifal: *A religious music-drama built upon the medieval epic of Parzival.*

Festspielhaus in Bayreuth

DAVID   Die Besucher von Bayreuth pilgern zu den
Festspielen wie zu einer heiligen Stätte.
Bei den Aufführungen, die wir gesehen
haben, waren die Zuschauer so andächtig
und mäuschenstill wie in einer Kirche... 5

HANSJÜRGEN   Seit schon fast hundert Jahren steht das
Festspielhaus auf dem Hügel über Bay-
reuth. Jedes Jahr kommen mehr als
50 000 Wagnerianer aus aller Welt zu den

Aus einer Aufführung von „Parsifal"

	Festspielen und berauschen sich an Wagners Musik.
BARBARA	Und seit einem Jahrhundert herrscht die Familie Wagner wie ein absoluter Monarch über den Festspielen?
HILDE	Ja, die Dynastie Wagner regiert in Bayreuth. Erst war es Richard Wagner selbst, dann folgte ihm seine Witwe Cosima, die Tochter Franz Liszts, dann Richards Sohn

5

	Siegfried, danach dessen Witwe Winifred. Und jetzt sind Richards Enkel Wieland und Wolfgang die Regenten.
HANSJÜRGEN	Und Wieland und Wolfgang haben zum ersten Male die geheiligte Bayreuther 5 Tradition durchbrochen. Ihre Inszenierungen sind ultramodern. Viele bewundern sie, manche schütteln darüber den Kopf.
DAVID	Ich hatte nicht erwartet, daß man in der 10 Wagnerstadt auch Mozart spielt. Wagner und Mozart—kann man sich in der Musik einen größeren Kontrast vorstellen?
HILDE	Aber Mozart wird doch nicht im Wagner-Festspielhaus, sondern im Opernhaus von 20 Bayreuth gespielt. Das hat die Markgräfin von Bayreuth[4] im 18. Jahrhundert für ihren Hof bauen lassen. Ein wunderschönes Rokokotheater. Im Juni jedes Jahres kommt das Ensemble der Münch- 15 ner Oper nach Bayreuth und spielt hier Mozart-Opern.
BARBARA	Eine so kleine Provinzstadt hat gleich zwei Opernhäuser! Das ist auch nur in Deutschland möglich, scheint mir . . . 25
HANSJÜRGEN	O, beinahe in allen Städten Deutschlands, auch den kleineren, gibt es ein Theater, und das spielt fast das ganze Jahr hindurch, Opern, Operetten und Schauspiele. Das kommt daher, daß Deutschland bis 30 ins 19. Jahrhundert hinein aus mehr als 300 kleinen und kleinsten Staaten bestand.
HILDE	Jeder kleine Fürst hatte nicht nur sein Residenzschloß, sondern auch sein Hof-

---

[4] Markgräfin von Bayreuth: *Margravin Wilhelmine, the favorite sister of Frederick the Great, King of Prussia.*

theater. Manchmal war der Fürst ein Bischof, der sich stolz Fürstbischof nannte, wie in Bamberg und hier in Würzburg. Der Fürstbischof hatte nicht weniger Macht und Reichtum als der weltliche Landesfürst, und einer wollte den andern übertreffen. 5

DAVID (*Lacht*) Das ist eine Art von Konkurrenz, die man bei uns in den Vereinigten Staaten nie gekannt hat . . . Jedenfalls 10 hat die Nachwelt davon profitiert, und wir Touristen können deshalb noch heute so viele schöne Bauten und Kunstwerke in den deutschen Städten bewundern.

HANSJÜRGEN Wenn es nicht das ganze Mittelalter hin- 15 durch einen Machtkampf zwischen Papst und Kaiser, zwischen Bischof und Landesfürst gegeben hätte, so sähe die deutsche Geschichte anders aus . . .!

BARBARA Ist nicht der berühmte Bamberger Dom 20 ein Beispiel dafür, daß geistliche und weltliche Macht ständig miteinander im Kampf lagen?

HILDE Das stimmt. Der alte Kaiserdom hat zwei Chöre, den Ostchor für den Kaiser, den 25 Westchor für den Bischof. Dazu hat er auch noch zwei Turmpaare. So ist das Gleichgewicht zwischen beiden Mächten wenigstens architektonisch hergestellt.

DAVID In diesem Dom ist die schönste Statue, die 30 ich in Deutschland gesehen habe: Der Bamberger Reiter. Der Ausdruck und die Haltung des Reiters und seines Pferdes sind unvergeßlich.

HANSJÜRGEN Es freut mich, daß auch Sie, David, als 35 Amerikaner diese Statue bewundern. Für uns Deutsche ist der Bamberger Reiter die Verkörperung des Idealbildes, das wir von einem mittelalterlichen Ritter haben.

HILDE Und niemand kennt den Namen des Bildhauers, der diesen Reiter geschaffen hat [5] und mehrere andere Skulpturen, die auch im Dom sind, zum Beispiel den lachenden Engel.

BARBARA Es gibt Engel, die sehen aus wie die Landschaft, in der sie geboren sind. So wie die [10] Madonnen auf den Bildern mittelalterlicher Maler so oft die Züge der Heimat ihres Malers tragen. Der lachende Engel in Bamberg verkörpert das liebliche Frankenland, scheint mir . . . [15]

DAVID Es muß ein glückliches Land sein, dieses Franken, in dem die Sonne aus steinigem Boden einen so edlen Wein hervorzaubert wie den Steinwein. Die Bocksbeutelflasche,[5] in die man den Frankenwein [20] abfüllt, paßt so gut zum fränkischen Charakter.

HANSJÜRGEN Unser großer Minnesänger Walter von der Vogelweide würde Ihnen gewiß rechtgeben. Er war auch Franke und hat in [25] seinen Liedern das heitere Frankenland besungen. In Würzburgs poetischem Lusamgärtlein[6] hinter dem Dom ist er begraben.

HILDE Wenn man heute von der mächtigen alten [30] Mainbrücke mit ihren steinernen Heiligenstatuen die Stadt bewundert, scheint es ganz unglaubhaft, daß 85% aller Häuser im letzten Kriege durch Bomben zerstört oder beschädigt wurden. [35]

---

[5] **Bocksbeutelflasche:** *Short-bellied bottle with flattened sides.*
[6] **Lusamgärtlein:** *Name of the small garden in the old Romanesque cloister.*

132

Der Bamberger Reiter, das Idealbild eines mittelalterlichen
Ritters

Würzburg: Blick auf das Barockschloß

DAVID In der Residenz der Fürstbischöfe ist kaum noch etwas von dieser Verwüstung zu sehen. Dieser Palast ist ein Wunderwerk des Barock—oder ist es schon Rokoko?

[7] Balthasar Neumann: *Architect who, at the age of 30, was commissioned to build the Residenz, and later built the Käppele, a beautiful pilgrims' chapel overlooking Würzburg.*

134

Das Treppenhaus in der Würzburger Residenz, von Balthasar Neumann

HANSJÜRGEN Der junge geniale Architekt Balthasar Neumann,[7] der die Residenz erbaut hat, brauchte 25 Jahre dazu. Für die Deckenmalereien des großen Treppenhauses ließ der Fürstbischof den berühmtesten Fresko- 5 Maler seiner Zeit, Tiepolo, aus Venedig, kommen.

135

BARBARA	Was für ein Meisterwerk, das Leben auf vier Erdteilen in leuchtenden Farben auf die Decke zu malen!
DAVID	Wer nur die Residenz gesehen hat, könnte glauben, Würzburg sei eine Stadt des 18. Jahrhunderts! Aber auf der andern Seite des Mains hoch über den grünen Weinbergen steht die Feste Marienberg, die sicher tausend Jahre alt ist...
HILDE	Ja, die Feste mit ihrer Rundkirche aus dem Jahre 706 ist das älteste Steinbauwerk rechts des Rheines. Hier in Franken wie in Frankreich haben die Franken viel zur westlichen Zivilisation beigetragen.
BARBARA	Ich erinnere mich aus der Geschichtsstunde, daß Karl der Große König der Franken war. Aber wie kamen denn die Franken vom Main bis zum unteren Rhein?
HANSJÜRGEN	Alle deutschen Stämme sind doch Jahrhunderte lang gewandert, weit, sehr weit gewandert. Noch heute sagt man ja von uns Deutschen, daß wir das Volk der Wanderlust seien ...
DAVID	In Nordfrankreich habe ich oft Franzosen gesehen, die ganz wie Deutsche aussahen. Wahrscheinlich waren das Nachkommen der Franken.
HILDE	Erinnern Sie sich an die Statue von Adam und Eva, die Tilman Riemenschneider[8] für das Südportal der Marienkapelle[9] von Würzburg geschaffen hat? Zum ersten Male seit der Antike hat hier ein Künstler

[8] Tilman Riemenschneider (ca 1468–1531): *The master sculptor of the German Renaissance.*

[9] Marienkapelle: *Church built for the burghers (1377–1441) in late Gothic style.*

Menschen völlig unbekleidet dargestellt. Wenn man die Gesichter von Adam und Eva genau betrachtet, so hat man den Eindruck, daß der Vater und die Mutter der Menschheit auch Franken gewesen sind . . . 5 (*Alle lachen*).

Blick auf die Feste Marienburg

Fragen

1. Warum hat Wagner sein Festspielhaus in Bayreuth erbauen lassen? 2. Wie sind die Zuschauer bei den Bayreuther Festspielen? 3. Woher kommen sie? 4. Wer herrscht seit einem Jahrhundert über diese Festspiele? 5. Inwiefern haben die Brüder Wolfgang und Wieland die Tradition von Bayreuth durchbrochen? 6. Spielt man auch Mozart im Bayreuther Festspielhaus? 7. Woher kommt es, daß es in fast allen Städten Deutschlands ein Theater gibt? 8. Wer war der Fürst in Bamberg und Würzburg? 9. Was zeigt die Geschichte des

ganzen Mittelalters? 10. Welches große Kunstwerk ist im Bamberger Dom? 11. Was verkörpert diese Statue? 12. Was zeigen oft die Madonnen auf den Bildern mittelalterlicher Maler? 13. Worin füllt man den Frankenwein ab? 14. Wer war Walter von der Vogelweide? 15. Von wo aus kann man die Stadt Würzburg am besten bewundern? 16. Was zeigt die Deckenmalerei im Treppenhaus der Residenz? 17. Wie hieß der Maler, und woher kam er? 18. Wie lange steht schon die Feste Marienberg und ihre Kirche? 19. Wozu haben die Franken viel beigetragen? 20. Was sagt man noch heute von den Deutschen?

Übersetzungsübung

1. We must leave behind us the routine of every day in order to experience Wagner's music. 2. I have never seen spectators so attentive and quiet as at the festival-performances in Bayreuth. 3. Richard Wagner's grandsons Wieland and Wolfgang have broken the sacred tradition of Bayreuth with their ultra-modern productions. 4. Can you imagine a greater contrast than between Wagner's and Mozart's music? 5. Did you know that up to the nineteenth century Germany was composed of more than 300 little states? 6. Every prince was proud of having his residential castle and his court theater. 7. (The) German history shows that during the whole Middle Ages the spiritual and the secular powers were fighting against each other. 8. The Bamberg Rider incorporates the ideal of a medieval knight. 9. In ancient pictures the Virgin Mary often bears the features of the painter's native country. 10. Franconia wine is poured into pouch-shaped bottles that conform to the Franconian character. 11. Walter von der Vogelweide was a famous troubadour who praised the serene beauty of his native country in his songs. 12. The Prince-Bishop had the most famous fresco-painter of his time called from Venice to Würzburg. 13. In France as well as in Franconia, the Francs, a Germanic tribe, have made a great contribution to Western civilization. 14. It is often said that the Germans are the people of wanderlust.

16 Berlin, wie es ist und wie es war

HANSJÜRGEN	Das ist unser lieber, alter, noch immer junger Onkel Willi. Willi Krause, ein echter Berliner!
ONKEL WILLI	Sogar waschecht. Ausgabe 1884. Urgroßmutter am Alexanderplatz[1] geboren. Urgroßvater auch mit Spreewasser[2] getauft. Das kommt nich[3] alle Tage vor, seh'n Se . . .
HILDE	Onkel Willi will damit sagen, daß viele Berliner Familien erst im vorigen Jahrhundert, meist aus dem Osten, nach Berlin gekommen sind. In Berlin gibt es aber

[1] Alexanderplatz: *Large square in the center of the older part of Berlin, now in East Berlin.*

[2] Spreewasser: *The Spree river with its numerous branches waters the eastern and central part of Berlin; the Havel river, forming several lakes, the western part.*

[3] nich: nicht; Seh'n Se!: Seh'n Sie! *(Berlin dialect)*

	auch französische Hugenotten-Familien,[4] die sich schon im 17. Jahrhundert hier niedergelassen haben.
DAVID	In den achtzig Jahren, die Sie schon in Berlin leben, Herr Krause, müssen Sie ja allerhand mitgemacht haben. Das Kaiserreich,[5] das Berlin zu seiner Hauptstadt machte, die erste Republik, die Hitlerzeit und nun die zweite Republik.
ONKEL WILLI	Und zwei Weltkriege, den kleinen und den großen, dazu! Na, bei uns sagt man: „Unkraut vergeht nich" (*Lacht*)
BARBARA	Und achtzig Jahre lang sind Sie immer Berlin treu geblieben? Sogar als die Bomben auf Berlin hagelten, im „großen" Weltkrieg?
ONKEL WILLI	Warum denn nich? Wenn's mich treffen soll, dann kann man eben nichts machen, dachte ich mir. Und der liebe Gott hat's offenbar gut gemeint mit dem alten Willi Krause . . .
HANSJÜRGEN	Onkel Willi, wie findest du dich denn in dem neuen Berlin zurecht? Das Haus, in dem du so lange gewohnt hast, steht doch auch nicht mehr. Und die paar alten Freunde, die dir übriggeblieben sind, wohnen drüben hinter der Mauer im Ostsektor . . .
ONKEL WILLI	Schwamm drüber, mein Junge! Zu Tränen hab' ich keine Zeit. Die Hauptsache ist: Man ist in Berlin und kann die Berliner Luft atmen.

[4] Hugenotten: *Huguenot families fleeing from France after the revocation of the Edict of Nantes (1685) were invited by Frederick William I, the Great Elector of Brandenburg, to settle in Berlin.*
[5] Kaiserreich: *The German Empire was founded in 1871 and ended in 1918. It was followed by the Weimar Republic (1919–1933).*

140

Berlin: Ernst-Reuter-Platz

Im Grunewald

HILDE	Tja, das ist die Berliner Luft, Luft, Luft![6] *(Sie beginnt, die Melodie leise vor sich hin zu singen. Onkel Willi singt mit.)*
BARBARA	In Berlin riecht's gut, das stimmt. Ich glaube, nach Spree— und Havelwasser und nach den Kiefern vom nahen Grunewald.

[6] Das ist die Berliner Luft: *Popular song, melody by Paul Linke.*

ONKEL WILLI	Das freut mich aber, daß Sie das bemerkt haben. In der Berliner Luft, seh'n Se, da ist so ein gewisses Etwas, das kann man nicht definieren. Man merkt's erst recht, wenn man nicht mehr in Berlin ist . . . 5
DAVID	Aha, nun versteh' ich, warum diese Berliner so lebendig und so fleißig sind. Das macht eben die Luft. Hier wird immer gearbeitet, Tag und Nacht, Nacht und Tag. 10
HANSJÜRGEN	Tempo, Tempo! Das war schon immer die Parole in Berlin. „Wer rastet, der rostet!"
HILDE	Onkel Willi hat uns erzählt, daß die Berliner bereits mit der Schippe in der Hand vor ihrem Haus standen, als 1945 gerade 15 die letzte Bombe gefallen war. Die Menschen hatten noch nichts Richtiges zu essen, aber sie räumten schon auf . . .
ONKEL WILLI	Und abends gingen wir wieder ins Theater. Wir froren und hatten Hunger, aber ins 20 Theater mußten wir, auch wenn es kein Dach mehr hatte . . .
BARBARA	Und darum gibt's heute so viele Theater in Berlin, und immer sind sie voll.
HANSJÜRGEN	Die Berliner haben die Theaterpassion. 25 Haben Sie sich einmal den Spielplan der Theater angesehen? Da wird alles gespielt, von den Klassikern bis zu den Modernsten. Amerikanische Stücke, englische, französische, ebenso viel wie deutsche. Und es 30 wird gut gespielt.
ONKEL WILLI	Aber die Glanzzeit des deutschen Theaters haben wir noch nicht wieder erreicht, die Zeit der zwanziger Jahre, als bei uns Max Reinhardt[7] Theater spielte. Damals blüh- 35

[7] Max Reinhardt: *The great theatrical producer (1873–1943) who, as director of "Deutsches Theater" and "Kammerspiele" in Berlin and of "Theater in der Josefstadt" in Vienna, dominated the German theater for several decades.*

143

ten die Kunst und die Wissenschaft, und unser Berlin war das geistige Zentrum Europas.

DAVID Heute ist das freie Berlin abgeschnitten vom übrigen Deutschland, isoliert wie eine 5 Insel im roten Meer, und schafft und produziert trotzdem mehr und besser von Jahr zu Jahr. Die ganze Welt sieht mit Bewunderung auf das tapfere, freie Berlin.

ONKEL WILLI Na ja, uns kann keener unterkriejen.[8] Wir 10 rappeln uns immer wieder hoch. *(Alle lachen herzhaft)*

BARBARA Hier in Berlin hab' ich oft das Gefühl, daß ich mit einem Fuß in der alten Welt stehe, mit dem andern in der neuen. Wenn die 15 Bomben im letzten Krieg die ganze große Stadt völlig zerstört hätten, so hätten die Berliner, glaub' ich, eine deutsche Ausgabe von New York aus dem Nichts aufgebaut.

HILDE Am Kudamm,[9] der Fifth Avenue von Ber- 20 lin, da steh'n noch immer Häuser aus der Vorkriegszeit und scheinen den Kopf zu schütteln über all das, was um sie herum vorgeht. Selbst die Ruine der Kaiser Wilhelm-Gedächtniskirche[10] blickt wie eine 25 Nachteule mit großen, leeren Augen auf die ultramoderne Kirche, die man da neben sie gesetzt hat.

DAVID Aber nachts, wenn der ganze Kurfürstendamm im Neonlicht glitzert und funkelt, 30

[8] Uns kann keener unterkriejen: *(Berlin dialect) Uns kann keiner unterkriegen: Nobody can knock us out.*

[9] Kudamm: *Abbreviation of* Kurfürstendamm, *a main artery of the western part of Berlin, residential and business avenue.*

[10] Kaiser Wilhelm-Gedächtniskirche: *A Protestant memorial church for Emperor William I, at the end of the Kurfürstendamm, kept as a war memorial although heavily damaged.*

Kurfürstendamm mit der Kaiser-Wilhelm-Gedächtniskirche bei Nacht

und die Menschenmassen in die Kinos, Theater, Cafés und Nachtlokale strömen, glaubt man in Manhattan zu sein. Das ist ein Betrieb wie am Times Square . . .

ONKEL WILLI Einmal hatten wir noch eine andere 5 Prachtstraße ausser dem Kudamm. Das waren die „Linden,"[11] aber die sind ja jetzt auch hinter der dicken Mauer in Ost-Berlin. Eine schöne Straße war das, sag' ich Ihnen. Bis der Hitler kam und die 10 vier Reihen alter Linden abrasieren ließ, weil er mehr Lebensraum für seine Paraden brauchte. Na, und das Schloß

[11] Linden: *The sumptuous avenue Unter den Linden leading from the Brandenburg Gate to the former Imperial Castle, once bordered with four rows of Linden trees.*

Kaiser Wilhelms an der Spree haben dann
die Russen in die Luft gesprengt. Und
die Universität, auf der ich Student war,
ist heute eine „Arbeiter- und Bauern-
Universität"... 5

HILDE   Dafür gibt's aber die Freie Universität in
West-Berlin, draußen in Dahlem.[12] Die
Amerikaner haben uns sehr dabei geholfen,
diese neue Universität aufzubauen.

HANSJÜRGEN   Und kürzlich hat die Ford-Stiftung wieder 10
8 Millionen Mark gespendet, um die
Universität und das Kulturzentrum West-
Berlin weiter auszubauen. Berühmte
Gelehrte, Musiker, Schriftsteller und Maler
aus allen Teilen der Welt sind nach Ber- 15
lin berufen worden, um hier zu schaffen
und zu unterrichten.

[12] **Dahlem:** *Suburb in the western part of Berlin, formerly an exclusive residential section. The Free University and some of the museums are now
located at Dahlem.*

Der Henry-Ford-Bau der Freien Universität Berlin

Kapitel 16

DAVID	Berlin wird von Tag zu Tag immer internationaler. Das paßt gut zu dieser Stadt, deren Bürger Kosmopoliten sind.
ONKEL WILLI	Da haben Sie recht. Wir Berliner sehen Ausländer gern bei uns. Wenn wir eine [5] Ausstellung, einen Sportkampf, eine Festwoche für Theater und Film haben, müssen sie international sein. Wir ärgern uns auch nicht darüber, wenn die Ausländer uns die ersten Preise wegschnap- [10] pen.
BARBARA	Und darum sind wohl auch so viele neue Bauten von ausländischen Architekten geschaffen worden? Zum Beispiel die große Kongreßhalle[13] der Stadt Berlin. [15]
HANSJÜRGEN	Über ihre Kongreßhalle reden die Berliner ebensoviel wie die New Yorker über ihr Guggenheim-Museum. Sie nennen sie den „Beton-Schmetterling."
ONKEL WILLI	Sie haben doch sicher das Hansaviertel ge- [20] sehen, unsere größte neue Wohnsiedlung?
DAVID	Natürlich. Eine wunderschöne Anlage. *(Lacht)* Einfach knorke![14] *(Alle lachen laut)*
HILDE	Dieses ganze Stadtviertel verdankt seine [25] Entstehung der Internationalen Bauausstellung im Jahre 1957. Damals hatte man die glänzende Idee, 50 Architekten aus 14 Nationen Musterwohnhäuser bauen zu lassen. Das Motto war: Luft, Licht, [30] Sonne! In der großen Grünanlage stehen

[13] Kongreßhalle: *Convention Hall, built by the American architect Hugh Stubbins.*
[14] Einfach knorke: *(Berlin slang): dandy!*

Berlin: eine neue Wohnsiedlung

	nun die 12 bis 20 Stock hohen Wohn- häuser, und jedes ist verschieden von den andern.
BARBARA	Gott sei Dank hat man in Berlin genug Raum zum Bauen. Darum kleben die 5 Häuser nicht aneinander wie so oft bei uns.
ONKEL WILLI	Na ja, jetzt haben wir sogar Wolkenkratzer zum Wohnen, aber das alte Berlin ist doch futsch. Das Haus Vaterland ist auch 10 dahin . . .
DAVID	Haus Vaterland—was war denn das?
ONKEL WILLI	Seh'n Se, da hatte der Kempinski[15] am Pots- damer Platz ein Restaurant gebaut, da konnte man im selben Haus eine kuli- 15 narische Weltreise machen. In jedem Saal ein anderes Land. Die Illusion war

vollkommen. Am liebsten saß ich auf der Rheinterrasse bei einem guten Glas Rhein oder Mosel, und wartete auf den großen Moment, daß es über der Lorelei[16] richtig zu regnen, zu donnern und zu blitzen be- 5 gann. Donnerwetter, das war Kitsch. Aber schön war's doch . . .

[15] Kempinski: *Founder of a well-known restaurant in Berlin; his family now owns one of the best hotels on the Kurfürstendamm.*
[16] Lorelei: *(here) The Lorelei rock on the right bank of the Rhine (cf. chapter 4).*

Fragen

1. Wann haben sich viele Familien in Berlin niedergelassen, und woher sind sie gekommen? 2. Welche politischen Veränderungen hat Herr Krause in achtzig Jahren miterlebt? 3. Warum ist er in Berlin geblieben, als die Bomben fielen? 4. Wo sind die paar alten Freunde Herrn Krauses jetzt? 5. Wonach riecht die Berliner Luft? 6. Wie heißt ein berühmtes Berliner Sprichwort? 7. Wie zeigte sich die Theaterpassion der Berliner am Ende des letzten Krieges? 8. Was spielen die Berliner Theater heute? 9. Warum bewundert man in der Welt das freie Berlin? 10. Sieht man auf dem Kudamm nur neue Häuser? 11. Wie sieht der Kudamm nachts aus? 12. Warum gibt es heute keine Linden in der Straße „Unter den Linden"? 13. Was ist mit dem Schloß Kaiser Wilhelms geschehen? 14. Welche Universitäten gibt es heute in Berlin? 15. Wen hat die Ford-Stiftung nach Berlin berufen? 16. Über welchen neuen Bau sprechen die Berliner am meisten? 17. Was ist das Hansaviertel? 18. Wem verdankt das Hansaviertel seine Entstehung? 19. Welchen großen Vorteil hat Berlin gegenüber unseren amerikanischen Großstädten? 20. Was war das „Haus Vaterland"?

Übersetzungsübung

1. It doesn't happen every day that you find a genuine Berliner like my uncle. 2. His family has always lived in Berlin. His great grandparents were born there and baptized with Spreewater. 3. When you are eighty years old, you have experienced a lot. 4. If it (a bomb) is meant to hit me, how can I escape? 5. I was very glad that you noticed it. 6. You must look at the repertory of the Berlin theaters. You'll see that they play everything from the classics to the most modern authors. 7. Although Free Berlin is separated from the rest of Germany, its production is growing every year. 8. At nighttime, the Kurfürstendamm glitters and sparkles with light like Times Square. 9. Until Hitler's time, the avenue Unter den Linden had four rows of beautiful old linden trees. 10. The Americans helped a lot to build up Berlin as a cultural center. 11. The Berliners have always liked to see many foreigners in their city. 12. That fits this cosmopolitan city very well. 13. Do you get angry if you don't receive the first prize in a competition? 14. It was a brilliant idea to have fifty model houses built by leading architects from many nations. 15. Since we do not have enough room for building in our big cities, the houses are often close together.

17 Freie und Hansestadt Hamburg

DAVID   Der Taxichauffeur, der uns zum Alsterpavillon[1] brachte, hat recht: „Hamburg is
the Englishest town in Germany."

HILDE   (*Lacht*) Der gute Mann hat sicher nicht
Englisch auf dem Gymnasium gelernt. Er 5
hat Sie wohl für einen Engländer gehalten
und wollte Ihnen zeigen, daß er sein
Hamburg kennt . . .

BARBARA   Hamburg sieht wirklich aus wie eine
Schwester von London, die auf dem 10
Kontinent zur Welt gekommen ist.

HANSJÜRGEN   Eine Bemerkung, die den Nagel auf den
Kopf trifft! Aber über London hat immer
ein König oder eine Königin geherrscht,
und Hamburg ist immer eine Republik 15

[1] Alsterpavillon: *A café–restaurant beautifully located on the edge of the Inner Alster river.*

151

gewesen, eine Freie Stadt, die sich selbst
regiert.

DAVID   Und der König von Preußen und später
der Kaiser des Deutschen Reiches hatten
in Hamburg garnichts zu sagen?   5

HILDE   Das stimmt. In Hamburg hat immer nur
der Senat regiert. Wenn der Kaiser zu
Besuch nach Hamburg kam, empfing ihn
der Bürgermeister vor dem Rathaus[2] auf
der obersten Stufe der Treppe, die zum 10
Eingang hinaufführt.

BARBARA   Da muß sich Seine Majestät aber sehr
geärgert haben, wenn der Herr Bürgermeister nicht die Treppe hinunterstieg,
um ihn unten zu begrüßen...   15

HANSJÜRGEN   Im Hamburg ist es eine alte Tradition,
daß niemand, auch nicht der Kaiser, das
Recht hat, der Bürgerschaft einer Freien
Stadt Befehle zu geben. Sehen Sie, über
dem großen Sitzungssaal des Senats im 20
Rathaus durfte nie ein anderer Raum
gebaut werden, weil nur Gott höher steht
als der Senat.

DAVID   Donnerwetter, das nenne ich wahren Bürgerstolz! Beinahe wie im Rom der 25
Antike zur Zeit Ciceros.

HILDE   Die Hamburger Patrizier haben auch stets
alle Adelstitel abgelehnt, und als einzigen
Orden nehmen sie nur den für Lebensrettung an.   30

BARBARA   Und Hamburg war die einzige Freie Stadt
im ganzen Deutschen Reich, das doch bis
1918 eine Monarchie gewesen ist?

HANSJÜRGEN   Auch Bremen und Lübeck waren Freie

[2] Rathaus: *The Town Hall in Renaissance style built upon 8000 piles to sup-
port the weight of its walls and tower.*

152

Das Hamburger Rathaus

	und Hansestädte. Bremen ist es noch heute, so wie Hamburg, das bereits 1186 eine Stadt-Republik wurde. Jetzt ist Hamburg eines der zehn Länder der Bundesrepublik Deutschland. 5
DAVID	Der Geist der Unabhängigkeit in dieser Stadt muß wohl daher kommen, daß die Hamburger immer Schiffahrt getrieben haben. Der freie Zugang zum Meer und damit zur Welt macht eben die Bürger 10 frei und unabhängig.
HILDE	Die Fischer, die schon zur Zeit Karls des Großen in Hammaburg[3] lebten, fuhren die Elbemündung hinab in die nahe Nordsee. Aus den Fischern wurden seefahrende 15 Kaufleute. Die schlossen sich im 13. Jahrhundert dem mächtigen Städtebund der Hanse[4] an und wurden wohlhabend durch den Handel mit allen Ländern an der Nord- und Ostsee. 20
BARBARA	Daß Hamburg mit seinen fast 2 Millionen Einwohnern eine blühende Handelsstadt ist, das merkt man auf Schritt und Tritt. Zum Beispiel, wenn die Hamburger Großkaufleute nach dem Börsenfrühstück[5] 25 ihre dicken Havanna-Zigarren anzünden . . .
DAVID	Und wenn die Damen der Hamburger Gesellschaft auf dem Jungfernstieg[6] einkaufen gehen. Immer in Kostüm, Hut 30

[3] Hammaburg: *The original name of Hamburg, a fort founded by Charlemagne in the 8th century.*
[4] Hanse: *or Hansa, the powerful League of 80 towns founded about 1250 to promote and protect commerce in the North and Baltic Seas.*
[5] Börsenfrühstück: *Lunch of business men who meet to discuss the activities of the stock exchange.*
[6] Jungfernstieg: *One of the main arteries along the Inner Alster.*

Kapitel 17

	und Handschuhen, wie bei uns in San Francisco. Es klingt so distinguiert, wenn die Hamburgerinnen beim S-prechen[7] an den s-pitzen S-tein s-tossen . . . (*Lacht. Alle lachen mit*) 5
HANSJÜRGEN	Mit distinguiert, mein Lieber, hat das weniger zu tun als mit Plattdeutsch. Von Hamburg bis Hannover hat sich dieser niederdeutsche Dialekt bis heute erhalten. „Platt" steht ja dem Englischen näher als 10 unser Hochdeutsch. Sagt nicht auch ein Engländer s-peak und s-tone, anstatt schpeak und schtone?
HILDE	Aber das echte Hamburger Platt, das hört man am Hafen. Wenn die Seeleute, 15 Pfeife oder Priem im Munde, Plattdütsch reden, so klingt das doch etwas anders als das feine Hamburgisch auf dem Jungfernstieg und in der Mönckebergstraße[8] . . .
BARBARA	Ist es wahr, daß der Hamburger Hafen 20 heute der zweitgrößte in Europa ist, gleich nach London?
HILDE	Ja, das ist der Fall, obwohl der Hamburger Hafen schwer durch den letzten Krieg gelitten hat und außerdem nicht direkt am 25 Meer liegt, sondern an der Elbemündung. Die größten Ozeandampfer können ja nicht die Elbe hinauffahren, sondern müssen in Cuxhaven anlegen.
HANSJÜRGEN	Ein Ingenieur der Hafenbehörde hat mir 30 stolz erzählt, daß der Verkehr im Hafen heute bereits stärker ist als in den besten

[7] beim S-prechen: *This phrase only illustrates the way* sp *and* st *are pronounced in Hamburg and Low-Germany.*
[8] Mönckebergstraße: *Thoroughfare leading from the Central Railroad Station to the Town Hall.*

155

	Vorkriegsjahren. Jährlich kommen über 18 000 Schiffe aus aller Herren Ländern an und laden 27 Millionen Tonnen Güter ein und aus. Im Freihafen können Güter ohne Zoll gelagert werden, und das ist eine 5 besondere Attraktion für die Schiffsreeder.
DAVID	Aber für die Matrosen ist die größte Attraktion nicht der Hafen, sondern die Reeperbahn![9] Da können sich die Seeleute nach Herzenslust amüsieren. Ein toller 10 Betrieb, diese Reeperbahn!
HILDE	Na ja, wenn man wochenlang auf dem Schiff war, allein mit Wasser und Himmel, dann braucht so ein Seebär doch ein bißchen Nachtleben. Ob Grieche oder 15 Japaner, Araber oder Chilene, auf der Reeperbahn findet er, was er sucht.
BARBARA	Mir gefällt der Vergnügungspark „Planten un Blomen"[10] mit seinen Wasserlichtkonzerten[11] viel besser. Die Reeperbahn 20 überlasse ich gern Euch Männern . . .
DAVID	Das Beste an Hamburg ist doch, daß man immer am und auf dem Wasser sein kann. Die Binnenalster, die Aussenalster, die ein richtiger See ist, und die Elbe dazu. 25 Mitten in der Stadt steigt man in sein Segelboot und läßt sich vom Winde schaukeln.
HANSJÜRGEN	Die Fischer und Hafenarbeiter in der Altstadt können ja direkt vom Hause in 30

[9] Reeperbahn: *The center of night life in the harbor district of St. Pauli.*
[10] Planten un Blomen: *Hamburg dialect for "Pflanzen und Blumen," a pleasure park famous for its floral beauty and for attractions such as the Waterlight Concerts.*
[11] Wasserlichtkonzerte: *The concert music furnished by an orchestra is accompanied by a "light organ" that controls the flow of 200 multicolored jets of water from a fountain in the center of a small lake.*

Hamburger Zimmerleute (carpenters) im Hafen

HILDE

die Fleete, die Kanäle der Kleinen Alster, hinuntersteigen. Ein richtiges Klein-Venedig.

Gewiß, für's Auge ist das ein hübscher Anblick. Aber es hat viel Mühe gekostet, 5 Hamburg auf diesem von Wasser getränkten Boden zu erbauen. Für die Groß-

157

Docks im Hamburger Hafen

	bauten mußten dicke Pfähle in den Grund gerammt werden; für das mächtige Rathaus mit seinem 112 Meter hohen Turm nicht weniger als 8000, so sagt man.
BARBARA	Und trotzdem haben sich die Hamburger 5 so imposante Geschäftshäuser wie das Chilehaus und den Sprinkenhof erbauen können. Alle Achtung!
HANSJÜRGEN	Hamburg ist doch die zweitgrößte Stadt der Bundesrepublik. An Unternehmungsgeist 10 wird sie nicht einmal von Berlin übertroffen.
DAVID	Ja, das merkt man auch, wenn man sich die Hamburger Zeitungen ansieht. Glän-

HILDE

zend gemacht, aggressiv und von hohem Niveau.

In Hamburg weht eben frische Luft. Auch in der Kunst und im Theater. Das werden Sie ja heute abend selbst sehen, im 5 Schauspielhaus, auf das die Hamburger mit Recht so stolz sind.

HANSJÜRGEN

Vorher aber lade ich unsere illustren Gäste zu einem echt hamburgischen Abendessen im Ratsweinkeller[12] ein, damit wir in die 10 richtige Stimmung kommen . . . Erst Arfensupp[13] mit Snutcn und Poten oder Aalsupp,[14] dann ein Holsteiner Schnitzel.[15]

BARBARA

Ich finde, zu einem echt hamburgischen Abendessen sollte ich ein echtes Ham- 15 burger bestellen.

HILDE

(Lacht) Ein Hamburger heißt hier Deutsches Beefsteak, und das ist eigentlich gar kein Hamburger . . . (Alle lachen herzhaft) . 20

[12] Ratsweinkeller: *The restaurant in the cellar of the Town Hall is famous for its wines and food.*
[13] Arfensupp: *Erbsensuppe, green pea soup with pigs' snout and pigs' feet.*
[14] Aalsupp: *Eel soup containing, like the French bouillabaisse, all kinds of sea-food.*
[15] Holsteiner Schnitzel: *Breaded veal cutlet, topped by a fried egg and an anchovy with capers, surrounded by mashed potatoes, cucumber slices and fresh vegetables.*

Fragen

1. Wie sieht Hamburg aus? 2. Was ist eine Freie Stadt? 3. Wo empfing der Bürgermeister von Hamburg den Kaiser? 4. Warum durfte nie ein Raum über dem Sitzungssaal des Senats gebaut werden? 5. Was lehnen die Hamburger Patrizier ab? 6. Welche Städte in Deutschland sind noch heute Freie Städte? 7. Woher kommt der Geist der Unabhängigkeit in

dieser Stadt? 8. Wie alt ist Hamburg? 9. Wodurch wurde
Hamburg wohlhabend? 10. Wieviele Einwohner hat Hamburg
heute? 11. Was ist Plattdeutsch? 12. Welcher Sprache steht
Plattdeutsch nahe? 13. Wer spricht das echte Hamburger
Platt? 14. Liegt Hamburg direkt am Meere? 15. Was ist ein
Freihafen? 16. Warum kann man sagen, daß die Hamburger
immer am und auf dem Wasser sind? 17. Warum hat es große
Mühe gekostet, Großbauten in Hamburg zu errichten? 18. Wo-
rauf steht das mächtige Rathaus? 19. Wie sind die Hamburger
Zeitungen? 20. Kann man in Hamburg ein Hamburger essen?

Übersetzungsübung

1. It seems to me that Hamburg looks like a sister of London
born on the continent. 2. Never has a king or a queen ruled
over Hamburg. It has always been a Free City that governed
itself. 3. Only the Senate has the right to give orders to the
citizens of a Free City. 4. The patricians of Hamburg decline
all titles of nobility and accept no decorations, except for life
saving. 5. The Free City of Hamburg and the Free City of
Bremen are states of the Federal Republic of Germany. 6. The
fishermen who lived in Hammaburg became seafaring merchants.
7. The trade with all countries on the North and Baltic Sea
made them free, independent and wealthy. 8. When the society
ladies of Hamburg go shopping, they are dressed in tailor-made
suits, hats and gloves. 9. The low German dialect called Plattdeutsch is nearer to English than to High German. 10. Although the Hamburg harbor is not a seaport, but lies at the
mouth of the Elbe river, it is the second largest harbor of
Europe. 11. In a Free Harbor merchandise can be stored
without paying customs duties. 12. On the famous Reeperbahn
seamen find entertainment to their hearts' desire. 13. You can
go sailing on the Outer Alster, in the center of Hamburg. 14. It
was a lot of trouble to build Hamburg, because its ground is
swampy. 15. No other city surpasses Hamburg in the spirit
of enterprise.

18 Von der Waterkant zum Teufelsmoor

HILDE	Roland der Riese[1] hat seine Pflicht getan. Über fünfhundert Jahre steht er schon vor dem Rathaus von Bremen und bewacht die Stadtfreiheit.
DAVID	Ist der steinerne Riese mit Schild und 5 Schwert wirklich der Roland der Heldensage, der treue Paladin Karls des Grossen?
HANSJÜRGEN	Das haben schon viele gefragt, und niemand kann darauf mit Sicherheit antworten. Vielleicht kommt der Name 10 dieses Rolands von Rodeland, dem Marschland um Bremen, das gerodet werden mußte.
HILDE	Haben Sie bemerkt, Barbara, daß Roland scharf auf den Dom hinüberschaut? Von 15 dorther scheint er den Feind zu erwarten.

[1] Roland: *Charlemagne's greatest legendary paladin, famous for his prowess and death in the battle of Roncesvalles (A.D. 778), hero of the French "Chanson de Roland."*

BARBARA	Und warum sollte der Feind gerade vom Dom herkommen?
HILDE	Seit dem 9.Jahrhundert war Bremen der Sitz eines Erzbischofs. Lange kämpften die Bremer Bürger für ihre Unabhän- 5 gigkeit gegen den Erzbischof, der sie unterdrückte. Endlich, zu Anfang des 15.Jahrhunderts, war der Kampf entschieden; der Stadtrat erklärte Bremen zur Freien Stadt.[2] 10
HANSJÜRGEN	Im gleichen Jahre errichteten die Bremer die Statue ihres Rolands. Ein Jahr danach begannen sie, das stolze Rathaus zu erbauen.
DAVID	(*Lacht*) Also erst der Schutzmann, dann 15 das Haus, das er beschützen soll. Das nenne ich Vorsicht, wenn man die Absicht hat, so viele Schätze im Hause und so gute Weine im Keller zu haben . . .
HANSJÜRGEN	Der Bremer Ratskeller ist nicht nur der 20 älteste, er ist auch der größte Deutschlands. Haben Sie sich einmal die Weinkarte angesehen? 520 verschiedene Weinsorten und eine Million Flaschen. Da findet man alle deutschen Weine, von 25 einem Rüdesheimer aus dem Jahre 1653 und einem Hochheimer 1720 bis zu den letzten Jahrgängen.
BARBARA	Daß Weine so alt werden können, habe ich noch nie gehört. Kann man denn so uralte 30 Weine noch trinken?
HILDE	Warum denn nicht? Sie sollen sogar ein sehr gutes Bukett haben.
DAVID	Die Ratsherren von Bremen verstehen

---

[2] Freien Stadt: *As a Free City, Bremen now is one of the ten states (Länder) of the Federal Republic, like Hamburg.*

162

Das alte Rathaus und der St. Petri-Dom am Marktplatz

offenbar etwas vom Essen und Trinken.
Außerdem haben sie auch Humor. Das
sieht man an dem Denkmal der Bremer
Stadtmusikanten, das jetzt neben dem
Rathaus steht.   5

HANSJÜRGEN   Jedes deutsche Kind kennt doch das
Märchen der Brüder Grimm von dem
Esel, dem Hund, der Katze und dem Hahn,
die eine Räuberbande vertrieben und zur
Belohnung für ihren Mut zu Bremer   10

163

Die Bremer Stadtmusikanten (von Gerhard Marcks)

Stadtmusikanten ernannt wurden. Das ist eine echt Bremer Fabel. Sie zeigt: Wer wagt, der gewinnt. Oder wie das Motto von Bremen sagt: „Buten un Binnen, Wagen un Winnen."[3]

5

BARBARA   Ich muß daran denken, was uns der nette

[3] „Buten un Binnen, Wagen un Winnen": *(low German dialect) A couplet meaning: Out and In, Risk and Win.*

Kapitel 18

Herr beim Bremer Norddeutschen Lloyd[4] erzählt hat. „Bremen"—so sagt er—„lebt von der Weser. Sie ist unser Schicksalsstrom. Als am Anfang des vorigen Jahrhunderts die Weser verschlammte, war 5 Bremens Schiffahrt in größter Gefahr. Was tun? Achtzig Jahre lang haben die Bremer gebaggert und gebaggert, bis die Weser wieder schiffbar wurde . . ."

HANSJÜRGEN   Außerdem haben sie sich damals einen 10 Außenhafen direkt an der Mündung der Weser in die Nordsee erbaut. Bremerhaven, 58 Kilometer von Bremer Rathaus entfernt, ist heute Europas größter Fischereihafen, und die Ozeanriesen unter 15 den modernsten Passagierdampfern, wie die „United States," können an der Columbus-Kaje landen.

DAVID   Es ist gut, daß die reichsten Bremer ihr Vermögen nicht nur in Handel und 20 Schiffahrt investierten, sondern auch in der Verschönerung ihrer Stadt. Wie zum Beispiel der Herr Roselius.[5] Der war ein königlicher Kaufmann, wie man ihn heute nicht mehr oft findet... 25

HILDE   Ein Kaffee-Millionär, der ein großer Kunstsammler war. Bremen verdankt ihm die Böttcherstraße,[6] vielleicht die eigenartigste Straße in ganz Deutschland. Die moderne Variante einer mittelalterlichen 30 Straße, die er selbst entworfen hat.

[4] Norddeutscher Lloyd: *Together with "HAPAG," the biggest German passenger line.*

[5] Ludwig Roselius: *Developed a coffee low in caffeine, named coffee HAG and later SANKA.*

[6] Böttcherstraße: *Once a narrow lane leading from the Market Square to the Weser river where handcraft workshops were located.*

BARBARA   Ich finde es entzückend, in dieser engen, so ganz niederdeutschen Straße spazieren zu gehen! Wieviel Phantasie ist da in jedem dieser Backsteinbauten! Wenn um 12 Uhr, um 3 und um 6 die dreißig Meiße- 5 ner Porzellanglocken des Glockenspielhauses läuten, fühlt man sich wie verzaubert in Alices Wunderland.

DAVID   Ich glaube, Barbara, du möchtest am liebsten Fremdenführerin in der Böttcher- 10 straße werden *(Alle lachen)*. „Meine Damen und Herren! Hier sehen Sie das Atlantis Haus, das HAG Haus, das Robinson Crusoe[7] Haus, das Paula Modersohn-Becker Haus,[8] das Roselius Haus.[9] Hier 15 in der Böttcherstraße können Sie einkaufen, Filme sehen, Kunst bewundern und natürlich vorzüglich essen . . ."

BARBARA   Fremdenführerin in Bremen—gar keine so schlechte Idee, mein Herr Bruder! Aber 20 wenn ich frei wählen könnte, so würde ich noch lieber in der Künstlerkolonie Worpswede im Teufelsmoor[10] leben. In einer Strohdach-Kate,[11] die ich mir als Studio einrichte. Dann beginne ich zu 25 malen oder fange ein Kunstgewerbe an und verkaufe meine Arbeiten nach Amerika *(Alle lachen)*.

HANSJÜRGEN   Ich sehe, Barbara, das Teufelsmoor hat

[7] Robinson Crusoe Haus: *Defoe's adventurer is claimed to have been the son of a Bremen merchant named Kreuzer (Crusoe).*

[8] Paula Modersohn-Becker: *Bremen's leading artist of this century, one of the founders of the artists' colony of Worpswede.*

[9] Roselius Haus: *The only historic building on Böttcherstrasse, dating from the 14th century, contains the private art collections of Ludwig Roselius.*

[10] Teufelsmoor: *devil's moor, now a beautiful farm region, northeast of Bremen.*

[11] Kate: *Low German name for a thatched farmhouse.*

166

Die Böttcherstraße: eine Sehenswürdigkeit Bremens

auch Sie bestrickt. Wie unsern großen Dichter Rainer Maria Rilke.[12] Na ja, wenn der Teufel seine Hand im Spiele hat, dann kann sogar ein Sumpfland in den schönsten Farben leuchten, wie im Teufels- 5 moor...

HILDE Was halten Sie von der Idee, morgen die Weser hinunterzufahren in die Nordsee und die Insel Helgoland anzusehen?

DAVID Abgemacht. Von der roten Felseninsel 10 mitten im Meer hab' ich schon so viel gehört. Ist die nicht im letzten Krieg durch Bomben fast ganz zerstört worden?

HANSJÜRGEN Ja, das stimmt. Hitler benutzte die Felseninsel als eine seiner Flugzeugbasen, 15 und die Alliierten haben sie ausbomben müssen. Aber seit 1952 ist Helgoland wieder aufgebaut. Die Fischer haben sich wieder auf dem Unterland der Insel angesiedelt, und die Badegäste können sich 20 wieder im Sommer auf der strahlend weißen Düne sonnen . . .

HILDE Und die besten Hummern essen, die frisch aus der Nordsee hereinkommen.

BARBARA Dann ist also Helgoland für die Deutschen, 25 was Maine für uns ist? Ein Hummern-Paradies.

HANSJÜRGEN Helgoland ist die Insel der Nordsee, die am weitesten draußen im Meer liegt. Aber die ganze Küste, unsere Waterkant, 30 hat viele Inseln, von Borkum und Norderney bis hinauf nach Sylt. Wir nennen sie die friesischen Inseln. Sie alle sind im Sommer beliebte Badeorte.

---

[12] Rainer Maria Rilke (1875–1926): *One of the greatest modern lyric poets, lived for some time with his wife, a sculptress, in Worpswede.*

Die Felseninsel Helgoland

DAVID — Die Friesen, sagt man doch, sind der Volksstamm, der sich bis heute von allen germanischen Stämmen am reinsten erhalten
hat. Sie sind flachsblond, blauäugig und
groß, nicht wahr?   5

HILDE — Ja, einen Friesen erkennt man schon auf
hundert Schritt. Wenn der heiratet, so
muß es eine Friesin sein, die auch von
seiner Insel kommt. Ausnahmsweise darf
sie von der Nachbarinsel stammen...   10

BARBARA — Und wenn so ein Friese einmal von seiner
Insel aufs Festland „auswandert,“ so sucht
er sich wieder eine Friesin?

HANSJÜRGEN — Zumindest eine Niederdeutsche, die auch
Platt spricht. Und auf jeden Fall gibt er   15
seinen Söhnen friesische Vornamen. (*Alle
lachen*)

Fragen

1. Warum haben die Bremer eine Roland-Statue vor dem Rathaus aufgestellt? 2. Ist dieser steinerne Riese wirklich der Roland der Heldensage? 3. Wofür kämpften die Bürger vom 9. bis zum 15.Jahrhundert? 4. Was ist Bremen bis heute geblieben? 5. Was findet man im Bremer Ratskeller? 6. Wer sind die Bremer Stadtmusikanten? 7. Warum ist die Weser für Bremen so wichtig? 8. Können die größten Passagierdampfer bis nach Bremen fahren? 9. Was findet man heute in Bremerhaven? 10. Ist die Böttcherstraße mittelalterlich oder modern? 11. Wem verdankt Bremen den Bau dieser Straße? 12. Was bietet die Böttcherstraße den Touristen? 13. Warum ist Worpswede berühmt? 14. Wie erklärt es sich, daß das Teufelsmoor die Künstler anzieht? 15. Warum wollen so viele Touristen Helgoland sehen? 16. Was tun die Badegäste auf der Düne von Helgoland? 17. Was ist die Waterkant? 18. Ist Helgoland die einzige Insel in der Nordsee? 19. Wie sehen die Friesen aus? 20. Kann man einen Friesen an seinem Namen erkennen?

Übersetzungsübung

1. Roland the Giant has done his duty and will always do it. 2. Nobody knows if this stone giant is meant to be Roland the hero of the legend. 3. For centuries, the citizens of Bremen fought for their independence. 4. More than 500 varieties of German wines can be found in the Ratskeller of Bremen. 5. The oldest wine in this cellar is three hundred years old. 6. In Bremen, the city counselors know much about eating and drinking. 7. Do you know the famous fairy tale of the Grimm brothers about a donkey, a dog, a cat and a rooster who were appointed town musicians on account of their courage? 8. It is a good thing if rich men invest a part of their fortune in the embellishment of their city. 9. Would you like best of all to live in an artists' colony if you had your free choice? 10. What do you think of my idea to go and see the island of Heligoland? 11. The visitors of this health resort bathe in the sun on the shining white sand of the dune. 12. You can easily recognize a Frisian. He is tall and blue-eyed and has flaxen hair.

19 Von Lübeck zum Ostseestrand

HANSJÜRGEN	Auf diesen Tag hab' ich lange gewartet. Endlich kann ich unsere amerikanischen Freunde meinen Eltern vorstellen.
DAVID	Ich freue mich sehr, Sie kennenzulernen, Herr und Frau Evers. Barbara und ich 5 haben doch so viel von Ihnen gehört und so oft auf unserer Reise von Ihnen gesprochen.
FRAU EVERS	Und mein Mann und ich auch von Ihnen. Auch mein Bruder Willi hat mir von 10 Ihrem Besuch bei ihm in Berlin geschrieben. Ich glaube, ich kenne Sie beide schon so gut, daß es mir schwer fällt, Sie mit „Herr und Fräulein Smith" anzureden.
BARBARA	Aber Frau Evers, tun Sie uns doch bitte 15 den Gefallen, und sagen Sie zu mir „Barbara" und zu meinem Bruder „David." Das klingt doch viel, viel netter als „Herr

	und Fräulein Smith." Besonders in einem Hause, in dem es so gemütlich ist...
HERR EVERS	Das ist aber wirklich lieb von Ihnen, Fräulein Smith. O Verzeihung, ich meine natürlich Fräulein Barbara (*Alle lachen*). 5 Sehen Sie, wir Lübecker sind vielleicht ein bißchen steif und reserviert im Umgang mit Menschen. Das ist uns so angeboren und anerzogen.
HILDE	Na ja, aber zu Hause da tauen wir auf. 10 Da zeigen wir, daß wir ein Herz haben.
FRAU EVERS	Ich hoffe, Sie haben eine schöne Reise gemacht, und es wird Ihnen auch in unserm alten Lübeck gefallen. Leider ist es nicht mehr ganz so wie es einmal war ... 15 Aber bevor Sie sich Lübeck ansehen, sollten Sie sich ein wenig stärken. Eine Tasse Kaffee, ein kleines Schinkenbrot, ein Stückchen Napfkuchen, selbstgemachten natürlich. Und als Wegzehrung stecke ich 20 Ihnen Marzipan[1] in die Tasche. Einverstanden?
BARBARA UND DAVID	Aber mit größtem Vergnügen!
BARBARA	Für einen Kaffeeklatsch bin ich immer zu 25 haben, sogar um zehn Uhr morgens.

AM ABEND DES FOLGENDEN TAGES

DAVID	Gestern haben Sie uns gesagt, Frau Evers, 30 daß Lübeck nicht mehr dieselbe Stadt sei, die sie einmal war. Der furchtbare Bombenangriff im Jahre 1942 hat ja so viel zerstört, aber das meiste, scheint mir,

[1] Marzipan: *A Lübeck specialty made with almonds, sugar and attar of roses, exported to all countries.*

ist doch wiederaufgebaut. Ich finde, Lübeck ist noch immer eine schöne, ehrwürdige Stadt, die ich mit keiner andern vergleichen möchte.

HERR EVERS Mein lieber Herr David, Sie haben nicht 5 wie ich alter Mann das Lübeck gekannt, in dem jedes Haus seine Geschichte hatte. Vor dem großen Kriege, seh'n Sie, da war bei uns nur das gut, was alt war und Tradition hatte. 10

BARBARA Das muß eine schöne Zeit gewesen sein, als die Buddenbrooks[2] in Lübeck lebten.

[2] Buddenbrooks: *An old family of Lübeck merchants whose decline Thomas Mann portrays in his novel „Die Buddenbrooks."*

Thomas Manns Geburtshaus in Lübeck

173

Nachdem ich den Roman gelesen hatte, wünschte ich mir immer, eine solche Patrizierfamilie kennenzulernen.

FRAU EVERS Ja, der Thomas Mann[3] hat seine Lübecker gut gekannt. Das Haus, in dem er hier gewohnt hat, das haben Sie doch wohl gesehen?

DAVID Natürlich, gnädige Frau. Es ist aber schade, daß nur eine Plakette in der Vorhalle des Hauses an den großen Schriftsteller erinnert. Man sollte ein Thomas Mann-Haus daraus machen, so wie es in Frankfurt ein Goethehaus gibt.

HILDE Da haben Sie recht. Thomas Mann hat so viel zum Ruhm unserer Stadt beigetragen. Ihm verdanken wir es auch, daß unsere größte und schönste Kirche, die Marienkirche,[4] wiederaufgebaut werden konnte.

HANSJÜRGEN Auch unsere andern Kirchen, die alle sechs—oder siebenhundert Jahre alt sind, hat man wiederhergestellt, und die alten Orgeln, wie die beiden in der Jakobikirche,[5] ertönen wieder. Wenn ein Werk von Johann Sebastian Bach auf solch einer Orgel gespielt wird, klingt es so rein und edel.

BARBARA Zum ersten Mal haben wir hier in Lübeck eine Stadt gesehen, die aus rotem Backstein erbaut ist. Und darum ist Lübeck so

[3] Thomas Mann (1875–1955): *Who received the Nobel Prize for literature in 1929; left Germany when Hitler came to power and became an American citizen. His older brother, the novelist Heinrich Mann, was also born in Lübeck.*

[4] Marienkirche: *The largest Gothic church built of red brick in Germany, whose construction was begun in 1159.*

[5] Jakobikirche: *Also built of brick, dates from the 14th century.*

174

	verschieden von allen alten Städten, die wir bisher besichtigt haben.
HILDE	Lübeck liegt doch an der Ostsee. Überall an der Ostseeküste und südlich der Ostsee baut man mit Backstein. Drüben auf der 5 Nordseeseite findet man nur selten Bauten aus gebranntem Stein.
DAVID	Ein Ziegelbau wirkt immer ernst und schwer, und das, scheint mir, paßt so gut zum Charakter dieser Städte im nord- 10 deutschen Flachland.[6]
HILDE	Da haben Sie recht. Unser Holstentor[7] mit seinen massiven Türmen ist ein Symbol der alten Hansestadt, und darum findet man es auch im Wappen der Stadt. Seit 15 fünfhundert Jahren steht das Holstentor vor dem Eingang zur Stadt wie ein Riese, der mit seinen gewaltigen Fäusten alle Feinde abschreckt.
HANSJÜRGEN	Lübeck war doch die „Königin der Hanse," 20 und niemand wagte es, mit dieser reichen und mächtigen Königin eine Fehde zu beginnen. Die Flotte der Hansestadt Lübeck hat sogar dem Schwedenkönig Gustav Vasa[8] geholfen, die Unabhängigkeit seines 25 Landes im Kampf gegen Dänemark zu gewinnen.
BARBARA	Die Lübecker können stolz sein auf ihre Vergangenheit, aber auch auf das, was sie heute leisten. Sogar Hochöfen, die 30

[6] Flachland: *plain. Northern Germany, down to the Harz mountains, is flat, while Central and Southern Germany is rich in hills and mountain ranges.*

[7] Holstentor: *Built in 1477, this town gate is flanked by two massive towers culminating in sharp spires. Inside this building is a Museum of City History.*

[8] Gustav Vasa: *Gustav I, King of Sweden (1496–1560) won the independence of Sweden from Denmark in 1523. A statue of Gustav Vasa given by Sweden to the city of Lübeck can be seen in Lübeck's Town Hall.*

DAVID

Eisenerz verarbeiten, findet man im Hafen.
Daß Lübeck 90 000 Flüchtlinge aus Ostdeutschland bei sich aufgenommen hat, ist
bewundernswert.

Blick auf die Hansestadt Lübeck
mit dem Holstentor

HERR EVERS   Seh'n Sie, es war eine schwere Sache,
in einer vom Krieg zerstörten Stadt,
die 150 000 Einwohner hat, so vielen
Flüchtlingen ein Dach über dem Kopf und

Arbeit zu geben. Aber wir sind doch eine Grenzstadt. Dicht vor den Toren Lübecks beginnt schon das andere Deutschland, das sich die Deutsche Demokratische Republik nennt. 5

BARBARA   Gestern am Strand in Travemünde[9] haben wir durchs Fernglas einen Blick hinter den Eisernen Vorhang getan. In den Wachttürmen standen Soldaten und paßten darauf auf, daß nicht etwa ein Ostdeutscher 10 in die Ostsee springt und über die Bucht ins Land der Freiheit hinüberschwimmt.

HANSJÜRGEN   Von der ganzen Ostseeküste, die einmal bis hinauf nach Memel in Ostpreußen reichte, gehört heute nur ein winziger Teil 15 zur Bundesrepublik. Lübeck mit seinem Außenhafen Travemünde und Kiel,[10] die Hauptstadt von Schleswig-Holstein, sind die einzigen größeren Städte, die uns geblieben sind. 20

BARBARA   David meint, wir müßten unbedingt nächste Woche zur Internationalen Segelregatta nach Kiel. Er hat davon so viel gehört, und Segeln ist doch seine große Liebe. Ich würde lieber eine Woche lang 25 am Strand in Travemünde liegen und mich braten lassen. Oder im Strandkorb[11] sitzen, wenn's zu heiß wird, und dösen . . . Was meinen Sie, Frau Evers?

FRAU EVERS   „Wer die Wahl hat, hat die Qual," sagt 30 man bei uns. Mir scheint, nach vier

---

[9] Travemünde: *Only a few miles north of Lübeck where the Trave river flows into the Baltic Sea; the leading Baltic resort of West Germany.*

[10] Kiel: *Capital of the former province of Schleswig-Holstein, now one of the ten Länder (states) of the Federal Republic.*

[11] Strandkorb: *Large rented basket chairs in which two persons can sit sheltered from the sun's rays.*

	Wochen kreuz und quer durch Deutsch-
	land haben Sie wohl ein Recht auf acht
	Tage Ferien am Ostseestrand.
HILDE	Dann schicken wir eben die Männer nach
	Kiel. Barbara, Mutter und ich faulenzen 5
	inzwischen am Kurstrand[12] in Travemünde.

[12] Kurstrand: *More than half a mile long, this part of the soft sandy beach is reserved for visitors who are vacationing at Travemünde.*

Fragen

1. Warum fällt es Frau Evers schwer, Barbara mit „Fräulein Smith" anzureden? 2. Wie redet Herr Evers Barbara an? 3. Wie sind die Lübecker im Umgang mit Menschen? 4. Was bietet Frau Evers den Gästen an? 5. Warum ist Lübeck nicht mehr ganz dieselbe Stadt, die sie einmal war? 6. Wie denkt Herr Evers darüber? 7. Welcher berühmte Roman spielt in Lübeck? 8. Gibt es ein Thomas Mann-Haus in Lübeck?

179

9. Wie alt sind die Kirchen in dieser Stadt? 10. Woraus sind sie alle erbaut? 11. In welchem Teil Deutschlands findet man vor allem Backsteinbauten? 12. Was ist das Symbol der Hansestadt Lübeck? 13. Wie nannte sich Lübeck im Mittelalter? 14. Wem hat die Flotte der Hansestadt Lübeck geholfen? 15. Warum sind so viele Flüchtlinge aus Ostdeutschland hierher gekommen? 16. Was kann man vom Strand aus in Travemünde sehen? 17. Zu welchem Teil Deutschlands gehört heute das größte Stück der Ostseeküste? 18. Warum möchte Barbara eine ganze Woche in Travemünde bleiben? 19. Was tut man am Strand von Travemünde, wenn es zu heiß wird? 20. Was sagt ein deutsches Sprichwort, wenn man nicht weiß, was man tun soll?

Übersetzungsübung

1. I would like to introduce my American friends to you. 2. Very glad to meet you. I have heard so much about you. 3. Please don't call me "Mr. Smith," call me by my first name "David." 4. In dealing with people the Lübeckers seem to be a little bit stiff and reserved. They are brought up this way. 5. Your mother told me that her city was no longer the same as it had been before the war. 6. In a dignified old city like Lübeck each house has its history. 7. The novel "Die Buddenbrooks" has contributed a lot to the fame of this city. 8. The churches that are six hundred or even seven hundred years old, could all be restored. 9. Along the coast of the Baltic sea and south of it, buildings are of red brick. 10. That fits the serious character of these North German cities very well. 11. In the Middle Ages, Lübeck was the "Queen of the Hansa," rich and powerful. 12. You may be proud of your past and of what you are achieving now. 13. It was difficult for a city heavily damaged by the war to offer shelter and work to so many refugees. 14. Only a tiny part of the Baltic coast belongs to the Federal Republic of Germany. 15. I would rather lie on the beach and roast in the sun or sit in a "beach basket" if it gets too hot!

20 Abschied von Deutschland

BARBARA	Die schönen Tage in Deutschland sind schon zu Ende . . .
DAVID	Und vier Wochen sind wie im Flug vergangen! Es ist nur schade, daß wir so vieles nicht sehen konnten, weil uns die 5 Zeit dazu fehlte.
HANSJÜRGEN	Das sehen wir uns das nächste Mal an, wenn Sie beide wiederkommen.

HILDE | Sie müssen uns versprechen, daß Sie bald wiederkommen und uns oft von drüben schreiben. Aber bevor Sie abfahren, möchte ich Sie etwas fragen, was ich schon lange fragen wollte: Hatten Sie sich 5 eigentlich unser Deutschland anders vorgestellt als es ist?

BARBARA | Hm, daran hab' ich gerade heute nacht denken müssen, als ich nicht einschlafen konnte. Mir ging allerlei durch den Kopf. 10 Wir haben doch so viel gesehen und gehört. In Gedanken verglich ich meine Eindrücke mit dem Bild, das ich mir drüben von Deutschland gemacht hatte. Dabei wurde mir klar, daß ein fremdes 15 Land und seine Menschen doch anders sind als die Vorstellung, die man sich von ihnen gemacht hatte.

DAVID | Die meisten Amerikaner erwarten wohl, wenn sie nach Deutschland kommen, 20 überall verträumte alte Städte und Städtchen voll historischer Erinnerungen, Burgen und Schlösser, gotische Dome, ehrwürdige Rathäuser und enge, winklige Straßen mit mittelalterlichen Giebel- 25 häusern. Gott sei Dank gibt's das noch immer! Aber neben diesem alten Deutschland ist doch ein anderes erstanden, das neue Deutschland.

BARBARA | Ich hatte mir nicht gedacht, daß das neue 30 Deutschland mit seinen Großstädten so modern ist, daß man hier so baut wie bei uns in Amerika, und manchmal, finde ich, sogar schöner.

HILDE | O ja, Barbara, wir amerikanisieren uns 35 immer mehr. Das ist der Zug der Zeit.

182

Lesen ist mein Hobby

Aber ich glaube, tief im Herzen sind wir doch noch romantisch und sentimental geblieben, vielleicht ohne uns dessen bewußt zu sein. Wir hängen an der Tradition und den Erinnerungen unserer 5 Vergangenheit.

HANSJÜRGEN Sie wissen ja, daß man in unsern modernen Großstädten die historischen Bauten nach dem Kriege wiederaufgebaut hat, wenn das möglich war. Es wäre oft viel leichter 10 gewesen, auf den Trümmern eine ganz neue Stadt aufzubauen. Aber wir haben mit großer Mühe und hohen Kosten das Alte gerettet.

BARBARA Und diese Mischung von Altem und 15 Neuem hat mich am meisten überrascht. Da steht manchmal solch ein altes Tor oder ein Turm aus dem Mittelalter mitten unter den modernsten Bauten, und das sieht so aus wie Urgroßmutters alt- 20 modischer Lehnstuhl mitten zwischen praktischen Stahlmöbeln.

DAVID Manchmal ist's auch umgekehrt: Ein modernes Bürohochhaus sieht hochmütig auf die viel kleineren und älteren Häuser 25 in derselben Straße hinunter. Aber in den meisten Fällen verträgt sich das Alte recht gut mit dem Neuen. Man sieht doch, daß sich die Architekten den Kopf darüber zerbrochen haben, wie sie das 30 Neue dem Alten am besten anpassen könnten.

HILDE Unsere alten Städte sind ja alle langsam und organisch gewachsen. Schon längst vor dem Kriege waren die Straßen in den 35 großen Städten viel zu eng geworden für

.

den immer wachsenden Verkehr. Aber niemand wagte es, deshalb ganze Stadtteile abzureißen und umzubauen. Bis dann die Bomben im letzten Kriege grausam das Bestehende niederrissen, das Unersetzliche zugleich mit dem, was mit der Zeit doch ersetzt werden mußte.

BARBARA Daß die Deutschen in nur fünfzehn Jahren ihre zerstörten Städte wiederaufgebaut haben, ist bewundernswert. Von allen modernen Bauten, die ich gesehen habe, gefallen mir die neuen Wohnsiedlungen am besten. Zum Beispiel die Gartenstadt Vahr[1] in Bremen, das Hansaviertel[2] in Berlin, die neuen Wohnhochhäuser[3] in Düsseldorf.

HANSJÜRGEN Wenn Sie in einem der nächsten Sommer wiederkommen, wie ich hoffe, werden Sie Ihren Augen kaum trauen! Wieviel bei uns jedes Jahr gebaut wird, ist phantastisch. Unsere größten Städte haben alle einen Fünf—oder Zehnjahresplan für den Aufbau oder Umbau, und sie bemühen sich, diese Stadtplanung genau einzuhalten. In Hamburg baut die Stadtverwaltung 25 000 neue Wohnungen pro Jahr, in Berlin über 20 000.

DAVID Die Wohnungen in diesen modernen Wohnsiedlungen sind wohl auch nicht geräumiger als bei uns in den Mietshäusern von New York oder Chicago. Aber

---

[1] Gartenstadt Vahr: *Garden city Vahr, a new settlement housing 7000 people is a model of residential living quarters.*

[2] Hansaviertel: *cf. chapter 16 on Berlin.*

[3] Wohnhochhäuser in Düsseldorf: *Like its gigantic office buildings serving the steel and coal industry, most new apartment houses in Düsseldorf impress by their height and structure.*

„Ohne Bäume und Blumen geht es bei uns nicht."

in Deutschland haben sie alle einen
schönen Balkon und schauen ins Grüne
hinaus, nicht auf die Betonmauer des
Nachbarhauses.

HILDE   Vor dem Kriege, da gab's in Berlin und ⁵

	andern Großstädten die berüchtigten
	Mietskasernen mit ihren traurigen Hinter-
	höfen ohne Licht und Luft. Das ist auch
	etwas, was der Vergangenheit angehört.
	Gott sei Dank!

andern Großstädten die berüchtigten
Mietskasernen mit ihren traurigen Hinterhöfen ohne Licht und Luft. Das ist auch
etwas, was der Vergangenheit angehört.
Gott sei Dank!   5

HANSJÜRGEN Wir Deutsche sind ja so gern „zu Hause."
Wir wohnen gern. Darin unterscheiden
wir uns von romanischen Völkern, für die
„ihr Heim nicht ihre Welt bedeutet."[4]
Seitdem die meisten Familien wieder eine   10
nette Wohnung und einen guten Arbeitsplatz haben, sind auch die Menschen
zufriedener.

BARBARA Ja, ich finde, man sieht es den Leuten an,
daß es ihnen gut geht, und daß sie sich   15
wohl fühlen. Sie essen gern und gut, und
trotzdem sind sie nicht so dick, wie ich mir
das vorgestellt hatte (*Sie lacht, die andern
lachen mit*). Die jungen Mädchen sind ja
fast alle so schlank wie bei uns . . .   20

HILDE Aber Barbara, haben Sie denn wirklich
gedacht, daß in Deutschland „vollschlank"
das weibliche Ideal sei? Unsere junge
Generation ist enorm sportlich. Im Sommer sind wir immer in der frischen Luft,   25
wandern und schwimmen, im Winter gehen
wir Schi fahren oder Schlittschuh laufen.

HANSJÜRGEN Außerdem futtern unsere jungen Damen
heute nicht mehr so üppig Kuchen mit
Schlagsahne, wie einst ihre Mütter und   30
Großmütter, als sie noch junge Mädchen
waren. Niemand beklagt sich darüber,
außer den Konditoreien natürlich . . .

DAVID Ah, nun begreife ich, warum ein junges

[4] ihr Heim ist nicht ihre Welt: *Variation of the English saying: "A man's house is his castle."*

Mit dem Fahrrad zur Universität

<table>
<tr><td></td><td>deutsches Mädchen in Atlantic City zur „Schönheitskönigin der Welt" gekrönt wurde!</td></tr>
<tr><td>BARBARA</td><td>(Sieht auf ihre Armbanduhr) Mein Gott, in einer Stunde geht unser Flugzeug ab. Und 5 ich merke, daß ich das Wichtigste, was ich sagen wollte, ganz vergessen habe. Also: Hilde und Hansjürgen, darf ich Sie um etwas bitten, was mir sehr, sehr am Herzen liegt? 10</td></tr>
</table>

188

Kapitel 20

HILDE	Aber natürlich.
HANSJÜRGEN	Schießen Sie los!
BARBARA	Ich möchte so gern, daß wir von jetzt an „DU" zueinander sagen. Wir sind doch so gute Freunde geworden, daß das feier- 5 liche „SIE" nicht mehr paßt . . .
HILDE	Auf diesen Moment habe ich so lange gewartet. „DU" ist mir das liebste Wort der deutschen Sprache.
DAVID	Das „DU" müssen wir mit einem Brüder- 10 schaftstrunk⁵ besiegeln.

⁵ Brüderschaftstrunk: *Drink to brotherhood. It is common usage that friends who wish to say "Du" to each other initiate the pledge for brotherhood by clinking (their) glasses together.*

Fragen

1. Warum haben Barbara und David so vieles in Deutschland nicht sehen können? 2. Welche Frage stellt Hilde an Barbara vor der Abfahrt? 3. Was wurde Barbara klar, als sie nachts nicht einschlafen konnte? 4. Was erwarten wohl die meisten Amerikaner, die nach Deutschland reisen? 5. Warum kann man sagen, daß sich das neue Deutschland immer mehr amerikanisiert? 6. Woran hängen viele Deutsche? 7. Welche Bauten hat man nach dem Kriege wiederaufgebaut? 8. Wodurch überrascht manchmal die Mischung von Neuem und Altem? 9. Worüber haben sich die Architekten den Kopf zerbrochen? 10. Was war die Folge des immer wachsenden Verkehrs in den großen Städten? 11. Wielange hat es gedauert, die deutschen Städte wiederaufzubauen? 12. Welche neuen Bauten gefallen Barbara am besten? 13. Wieviele neue Wohnungen baut man jedes Jahr in Hamburg und Berlin? 14. Was hat jede neue Wohnung in Deutschland? 15. Sieht man heute noch Mietska-

sernen mit Hinterhöfen? 16. Warum sagt ein Deutscher oft: „Mein Heim ist meine Welt"? 17. Was kann man den Deutschen ansehen? 18. Ist „vollschlank" das Ideal eines deutschen Mädchens? 19. Worum bittet Barbara ihre Freunde Hansjürgen und Hilde? 20. Was sagt Hilde über das Wort „du"?

Übersetzungsübung

1. It's a pity that there are so many things I can't do because I always am short of time. 2. Before leaving, I would like to ask you a question that I have wanted to ask you for a long time. 3. The ideas we have had of a foreign country often differ from what we see on a trip through this country. 4. Had you realized that the new Germany has so many large modern cities? 5. A German often is romantic and sentimental without being conscious of it. 6. Don't you also think that it would have been much easier to build an entirely new city on the ruins of the old one? 7. They must have racked their brains about the problem how to adapt the new to the old (architecture). 8. In most old cities the streets have become too narrow for the steadily growing traffic. 9. The largest cities have a five- or ten-year plan for reconstruction and follow this plan exactly each year. 10. Every new house has a balcony that looks out into the green. 11. You can see that the people are well-off and feel well. 12. Women are no longer „on the plump side" because they like sports and don't eat so much cake with whipped cream as in former times. 13. When you have become good friends, you must say „du" to each other. 14. You will seal this pledge to say „du" to each other with a drink to brotherhood.

Bildbeschreibungen

Beschreiben Sie mit Hilfe der vor jedem Bilde angegebenen Wortliste, was Sie auf diesem Bilde sehen! Benutzen Sie die Reihenfolge der angegebenen Wörter, die nach Hauptwörtern (nouns), Adjektiven oder Adverbien und Verben getrennt sind.

Ein Beispiel dafür, wie man ein Bild beschreiben kann, folgt der Wortliste vor dem ersten Bild.

Bild 1

Badegäste beim Burgenbau

Im Nordseebad Cuxhaven

das **Bild, –es, –er** picture
der **Badegast, –es, ‟e** summer vacationer
der **Burgenbau, –s, –ten** castle building
die **Burg, –en** fortified castle
das **Spiel, –es, –e** game
das **Kind, –es, –er** child
der **Erwachsene, –n, –n** adult
die **Muschel, –n** seashell
der **Kiesel, –s, – kleiner Stein** pebble
die **Farbe, –n** color
die **Blume, –n** flower
die **aufgehende Sonne** the rising sun
die **Kirche, –n** church
die **Kette, –n** chain
die **Inschrift, –en** inscription
die **Hansestadt, ‟e** Hanse city
der **Strandkorb, (e)s, ‟e** beach basket chair **(für zwei Personen)** (for two persons)
der **Schutz, –es** (no pl.) **vor** protection from
die **Sonne, –n** sun
der **Hintergrund, –es, ‟e** background
das **Strandhaus, –es, ‟er** bathhouse
das **Dach, –es, ‟er** roof

die **Fahne, –n** flag
der **Sand, –es** sand
das **Schilf, –es, –e** reef
das **Seegras, –es, ‟er** sea-grass

---

nicht nur, sondern auch not only, but also
beliebt popular
verschieden various
links to the left
rechts to the right
innen inside
dahinter behind
ander other
fast almost
weiß white

---

sehen, sieht, a, e to see
schmücken to decorate
formen to build, form
bieten, o, o to offer
stehen, a, a to stand
bauen to build
im Winde wehen to flutter
wachsen, u, a to grow

Auf unserm Bilde sieht man Badegäste beim Burgenbau im Nordseebad Cuxhaven. Das ist nicht nur ein beliebtes Spiel für Kinder, sondern auch für Erwachsene. Mit Muscheln und Kieseln in verschiedenen Farben schmückt man die Burg aus Sand. Man formt daraus Blumen (*links*), die aufgehende Sonne (*rechts*), eine Kirche (*innen*) und Ketten. Dahinter steht eine andere Burg mit der Inschrift „Hansestadt." Die Badegäste haben einen Strandkorb, der zwei Personen Schutz vor der Sonne bietet. Im Hintergrund steht ein Strandhaus; auf dem Dach weht eine Fahne im Winde. In dem fast weißen Sande wächst nur Schilf und Seegras.

Studieren Sie die Wortliste, bevor Sie sich das Bild auf der nächsten Seite ansehen!

Bild 2

die **Weinlese, –, n** vintage
der **Vordergrund, –(e)s, ⁓e** foreground
der **Hintergrund, –(e)s, ⁓e** background
die **Traube, –n** grape
der **Ast, –es, ⁓e** branch
der **Eimer, –s, –** pail
der **Tragkorb, –(e)s, ⁓e** portable basket, hamper
der **Rücken, –s, –** back
der **Weinberg, –(e)s, –e** vineyard
der **Pfahl, –es, ⁓e** post, pile, stake
die **Rebe, –n** vine
die **Ruine, –n** ruin
die **Burg, –en** fortified castle

---

reif ripe
rechts to the right
links to the left
voll full
alt old

---

sehen, sieht, a, e to see
pflücken to pick
schneiden, i, i to cut
fallen lassen, lässt, ie, a to drop
schütten to pour
sich **emporranken** to climb up, to creep up
hinaussehen auf, sieht hinaus, a, e to look out to

195

Weinlese am Rhein

Bild 3

der **Holzschnitzer,** –s, – woodcarver
die **Arbeit,** –en work
die **Werkstatt,** ¨en workshop
das **Haar,** –es, –e hair
der **Vollbart,** –(e)s, ¨e full beard
der **Hirt,** –en, –en shepherd
die **Madonna,** –, en madonna
das **Gebet,** –(e)s, –e prayer
der **Tisch,** –es, –e table
das **Werkzeug,** –s, –e tool
die **Figur,** –en figure
das **Holzrelief,** –s, –s wood relief
die **Wand,** ¨e wall
das **Mädchen,** –s, – girl

---

lang long
dunkel dark
knieend kneeling
stehend standing
jung, jünger young, younger

---

zeigen to show
arbeiten to work
die **Hände falten** to fold one's hands
liegen, a, e to lie
hängen to hang
helfen, hilft, a, o, *(with dative)* to
help

Holzschnitzer von Oberammergau

Bild 4

das **Café, –s, –s im Freien** sidewalk café
der **Sessel, –s, –** armchair
der **Tisch, –es, –e** table
der **Straßenrand, –es, ̈er** curbstone
das **Geländer, –s, –** railing, balustrade
die **Blume, –n** flower
die **Tischlampe, –n** table lamp
die **Laterne, –n** street lamp
die **Reihe, –n** row
der **Laden, –s, ̈** shop
das **Kino, –s, –s** movie theater
das **Haus, –es, ̈er** house
die **Straßenseite, –n** side of the street
die **Lichtreklame, –n** lighted signs

---

bequem comfortable
schön gedeckt nicely set
rechtwinklig perpendicular, at right angles to
mehrere several
hell bright
ander other

---

zeigen to show
sitzen, a, e to be seated
parken to park
stehen, a, a to stand
erleuchten to light

203

Café im Freien in Düsseldorf

Bild 5

der **Hafen,** –s, ⁔ harbor
der **Teil,** –es, –e part
der **Vordergrund,** –(e)s, ⁔e foreground
der **Dampfer,** –s, – steamer
der **Frachtdampfer,** –s, – freighter
der **Pier,** –(e)s, –e pier
das **Schleppboot,** –(e)s, –e tugboat
der **Hintergrund,** –(e)s, ⁔e background
der **Kran,** –es, ⁔e crane
der **Speicher,** –s, – granary, storehouse
das **Lagerhaus,** –es, ⁔er warehouse
das **Gerüst,** –(e)s, –e scaffold
die **Schiffswerft,** –en wharf

---

der **eine** one *(pronoun) masc.*
die **beiden andern** the two others
viele many
groß big
hinten in the background
links to the left

---

sehen, sieht, a, e to see
anlegen to lay a boat alongside
ziehen, o, o to pull, drag

Im Hafen von Bremen

Bild 6

die **Postkutsche, –n** mail coach
die **Alpen** Alps
das **Pferd, –es, –e** horse
das **Alpenhaus, –es, ¨er** alpine house
die **Freske** *or* das **Fresko** *pl.* **die
Fresken** fresco painting
das **Auto, –s, –s** auto
der **Hintergrund, –(e)s, ¨e** background
die **Bergkette, –n** mountain chain
der **Sommer, –s, –** summer

---

gerade just at this moment
ganz completely, entirely
farbig in colors, colorful
links to the left
gemütlich cosy, congenial, home-like

---

zeigen to show
gezogen (*past part. of* **ziehen**)
drawn, pulled
vorbeifahren, fährt vorbei, u, a an
(*plus dative*) to pass by
bemalen to paint
sehen, sieht, a, e to see
fahren, u, a durch to travel through

211

Mit der Postkutsche durch die Alpen

Bild 7

die **Tracht, –en** costume (national or regional)
das **Dirndlkostüm, –(e)s, –e** Bavarian and Tyrolian girl's costume
das **Mädchen, –s, –** girl
der **Kirchgang, –(e)s, ̈e** going to church
das **Haar, –es, –e** hair
der **Zopf, –es, ̈e** braid of hair
zu einem Zopf flechten, o, o to braid one's hair
der **Ohrring, es, –e** earring
der **Hals, –es, ̈e** neck
der **Halsschmuck, –(e)s** necklace
die **Perlenkette, –n** string of pearls, string of beads
die **Schnalle, –n** buckle, clasp
die **Schulter, –n** shoulder
der **Seidenschal, –(e)s, –e** silk shawl
die **Franse, –n** fringe
das **Mieder, –s, –** bodice
die **Dirndlbluse, –n** blouse belonging to the Dirndl costume
die **Schürze, –n** apron
der **Rock, –es, ̈e** skirt

---

bayrisch *(adj.)* Bavarian
blond blonde
braun brown
gestickt embroidered
reich rich, richly
verziert decorated
links to the left
rechts to the right
weiß white
weit wide, ample

---

sehen, sieht, a, e to see
tragen, u, a to wear
halten, ie, a to hold
herabhängen, i, a to hang down

Bayrische Mädchen in Tracht

Bild 8

der **Markt, –es, ⸚e** market
der **Schillerplatz, –es, ⸚e** Schiller
Square
im **Freien** in the open air
das **Schiller-Denkmal, –(e)s, ⸚er**
Schiller monument, Schiller statue
der **Händler, –s, –** dealer, vendor
der **Sonnenschirm, –(e)s, –e** parasol
das **Obst, –es** fruit
die **Blume, –n** flower
der **Turm, –es, ⸚e** tower
die **Turmuhr, –en** tower clock
fünf Minuten nach halb zehn five
minutes after 9:30
das **Zentrum, –s, –en** center
die **Kirche, –n** church
das **Giebelhaus, –es, ⸚er** house with
a gabled roof
das **Auto, –s, –s** auto
die **Straße, –n** street
die **Verkehrsampel, –n** traffic light
der **Hintergrund, –(e)s, ⸚e** background
das **Hochhaus, –es, ⸚er** high house

---

rund um around
links to the left
alt old
daneben next to it
modern modern
schön beautiful

---

sehen, sieht, a, e to see
aufstellen to set up
ausbreiten to spread
zeigen to show
parken to park

Markt auf
dem Schillerplatz
in Stuttgart

Bild 9

die **Trinkhalle, –n,** *or* die **Wandel-halle, –n** the hall of a spa where the patients drink the mineral water from one of the springs
das **Bad, –es, ‥er** health resort for a cure with mineral water
der **Kurgast, –es, ‥e** patient of a health resort
das **Mineralwasser, –s, ‥er** mineral water
das **Glas, –es, ‥er** glass
die **Hand, ‥e** hand
die **Bank, ‥e** bench
die **Blume, –n** flower
die **Blattpflanze, –n** potted plant
die **Wanduhr, –en** wall clock
der **Hintergrund, –es, ‥e** background
fünf Minuten vor neun five minutes to nine

---

langsam slow, slowly
rechts to the right
links to the left
reich rich, richly
geschmückt decorated

---

sehen, sieht, a, e to see
trinken, a, u to drink
auf und ab wandern to walk up and down
zum Ausruhen einladen to invite for a rest
das Auge erfreuen to rejoice the eye
zeigen to show

223

Trinkhalle in Bad Kissingen

Bild 10

der **Christkindlmarkt,** **–es,** **ᵘe**
Christmas market, *lit.:* market in
honor of the Christ Child
der **Vordergrund, –es, ᵘe** foreground
der **Stand, –es, ᵘe** stall (of a merchant)
das **Weihnachtsgeschenk,** **–(e)s,** **–e**
Christmas present
die **Leute** people
die **Figur, –en** figure, person
der **Brunnen, –s, –** fountain
die **Kirche, –n** church
der **Scheinwerfer, –s, –** projector
der **Weihnachtsbaum,** **–(e)s,** **ᵘe**
Christmas tree

---

vor before
davor before it, before them
hinter behind
links to the left
allerhand all kinds of
alt old
mittelalterlich medieval
schön beautiful

---

sehen, sieht, a, e to see
bewundern to admire
verkaufen to sell
stehen, a, a to stand
sich **ansehen, sieht sich an** to look
attentively at
geschmückt decorated
beleuchten to illuminate

 Christkindlmarkt

in Nürnberg

Wörterverzeichnis

The vocabulary has been keyed to the text of this book; therefore, it does not include all possible meanings of each word. It should serve to facilitate the student's comprehension of the text and to enable him to do the exercises with accuracy. Articles, with the exception of the nominative case, personal pronouns and possessive adjectives are not listed.

NOUNS: The genitive singular is given for masculine and neuter nouns, and the nominative plural is given for all nouns unless no plural form exists or the plural form is uncommon. Nouns which require adjective endings are indicated: der **Fremde, –n, –n** (ein **Fremder**)

VERBS: No principal parts for weak verbs are given. Principal parts for strong and irregular verbs are given in full. The auxiliary **sein** is indicated when used. Separable prefixes are hyphenated. Principal parts of compound irregular and strong verbs are given once under the simple form, if it occurs in the text.

ADJECTIVES: Irregular forms of the comparative and superlative are given.

Abbreviations

#	see simple verb for principal parts	*demonstr.*	demonstrative
		dial.	dialect
##	often used in conversation for emphasis and cannot always be translated literally	*idiom.*	idiomatic
		imp.	impersonal
		indecl.	indeclinable
		indef.	indefinite
		insep.	inseparable
abbr.	abbreviation	*lit.*	literally
acc.	accusative	*med.*	medieval
adj.	adjective	*nom.*	nominative
adv.	adverb	*orig.*	originally
art.	article	*prep.*	preposition
aux.	auxiliary	*pron.*	pronoun
coll.	collective	*refl.*	reflexive
comp.	comparative	*reg.*	regular
conj.	conjunction	*rel.*	relative
contr.	contraction	*sing.*	singular
dat.	dative	*sl.*	slang
decl.	declined	*superl.*	superlative
def.	definite		

Aachen Aachen, Aix-la-Chapelle (city in Northwestern Germany)

ab from, off; **ab und zu** now and then

der **Abend, –s, –e** evening; **abends** in the evening; **heute abend** this evening

das **Abendessen, –s, –** supper, evening meal

aber but, however

ab-fahren# (ist) to depart, set off

ab-füllen to fill out; **Wein auf Flaschen abfüllen** to bottle wine

ab-geben# to give, to deliver

ab-gehen# (ist) to go off, depart

der **Abgeordnete, –n, –n (ein Abgeordneter)** delegate, representative

ab-halten# to hold off; to hold or stage a meeting or event

ab-lehnen to decline, to turn aside

ab-machen to settle, arrange; to undo; **abgemacht!** It's a bargain! agreed!

ab-rasieren to shave off

ab-reißen, riß ab, abgerissen to tear down

der **Abschied, –(e)s, –e** departure, leave, farewell

ab-schneiden# to cut off

ab-schrecken (schrickt ab), schrak ab, abgeschrocken to frighten away

ab-setzen to depose, to remove

die **Absicht, –en** purpose, end, intention

abstammen to descend from, to come of

die **Abstimmung, –en** vote

ach oh

die **Achtung** attention; respect; **Alle Achtung!** My hat's off to them!

achtzig eighty

der **Adelstitel, –s, –** title of nobility

der **Adler, –s, –** eagle; **das Adlernest, –(e)s, –er** eagle's nest

die **Ahnung, –en** foreboding; idea; **keine Ahnung** no idea, no notion

der **Akrobat, –en, –en** acrobat

aktiv active

alemannisch Alemannic

all all; **alle** *(pl.)* all (the); **alles** everything; **alle zehn Jahre** every ten years; **aller** with *adj. in superl.* of all (**der allerschönste** the most beautiful of all); **vor allem** first of all; above all

die **Allee, –n** avenue

allein alone

allerhand *(indecl.)* of all sorts and kinds; diverse

allerlei *(indecl.)* all sorts and kinds

alliieren to ally, unite

der **Alliierte, –n, –n (ein Alliier-**
ter) ally

der **Alltag (e)s** everyday.routine

die **Alp, –en** mountain; the Alps;
das Alpenland, –(e)s, ˵er
Alpine country; **der Alpen-**
staat, –(e)s, –en Alpine
state

der **Alptraum, –(e)s, ˵e** night-
mare

als when, as, than; **als ob** as if
also so, therefore, thus

alt (älter, ältest-) old

das **Altarbild, –(e)s, –er** altar
piece

das **Alter, –s, –** age

die **Altstadt, ˵e** old section of the
city

das **Amerika** America; **der Ame-**
rikaner, –s, – American;
amerikanisch American
(adj.); amerikanisieren to
americanize

sich **amüsieren** to have a good
time, to be amused

an-bieten# to offer

der **Anblick, –s, –e** look; view,
sight; appearance

andächtig devout; **andächtig**
zuhören to listen attentively

das **Andenken, –s, –** remembrance,
memento, token, souvenir

ander other; **etwas anderes**
something else; **anders** different; **anderswo** elsewhere

sich **ändern** to change

die **Anekdote, –n** anecdote

anerzogen educated to; **Das**
ist uns so anerzogen we are
brought up this way

der **Anfang, –(e)s, ˵e** beginning
anfangen (fängt an), fing an,
angefangen to begin
angeboren inborn, innate

an-gehören to belong to

die **Angelegenheit, –en** concern,
affair

angenehm pleasant, agreeable

an-kommen# (ist) to arrive

an-kündigen to announce,
proclaim

die **Ankunft, ˵e** the arrival

die **Anlage, –n** (city) plan; **die**
Anlagen (pl.) grounds, park

an-nehmen# to take, accept

anonym anonymous

an-passen to adapt, to assimi-
late

an-reden to speak to, address

sich **an-schließen#** to join

an-sehen# to look at; **sich**
(dat.) ansehen to look at
closely; **einem etwas anse-**
hen to perceive something
in; to recognize as characteristic of

die **Ansichtskarte,–n** picture postcard; **das Ansichtskarten-**
schloß, –sses, ˵sser picture
postcard castle

an-siedeln to settle, colonize

anstatt instead of, in the place
of

an-stimmen to begin to sing

die **Antike** antiquity, ancient
times

die **Antwort, –en** answer; **antwor-**
ten (dat.) to answer (someone); **antworten (auf/acc.)**
reply (to a question)

an-wenden (reg.); an-wenden,
wandte an, angewandt to
employ, use, make use of

an-ziehen# to draw, pull on;
to attract; **sich anziehen** to
dress; **anziehend** attractive

an-zünden to light up; to
kindle

der Appetit - die Ausreise

der **Appetit,** –s, –e appetite
der **Araber,** –s, – Arab
die **Arbeit,** –en work; **arbeiten** to
work; der **Arbeiter,** –s, –
worker; die **Arbeiter- und
Bauern-Universität** Workers' and Farmers' University; der **Arbeitsplatz,** –es,
¨e place of employment,
job
der **Architekt,** –en, –en architect;
architektonisch architectural
das **Archivbuch,** –(e)s, ¨er archive
records
ärgerlich vexed, angry
sich **ärgern** (über/acc.) to fret, to
be angry, take offense
der **Aristokrat,** –en, –en aristocrat
der **Arm,** –(e)s, –e arm
arm (ärmer, ärmst-) poor
die **Armbanduhr,** –en wristwatch
die **Armbrust,** ¨e cross-bow; **das
Armbrustschießen,** –s shooting of the cross-bow
die **Armee,** –n army
die **Art,** –en kind, sort
der **Arzt,** –es, ¨e doctor, physician;
ärztlich medical
die **Asche,** –n ashes
atmen to breathe
die **Attraktion,** –en attraction
auch also, too, even; **auch
wenn** even though, even if
auf on, in, upon, to, for;
**Machen wir uns auf in die
Kö!** Let's start out to the
Kö! (Kö abbr. for **Königsallee**)
der **Aufbau,** –(e)s rebuilding; **aufbauen** to build up, to rebuild
die **Aufforderung,** –en invitation;
challenge

**auf-fressen, (frißt auf), fraß
auf, aufgefressen** to eat up,
to devour
auf-führen to perform, to act
(a play); die **Aufführung,**
–en performance
auf-hören to stop
auf-nehmen# to take up, to
receive; to absorb
auf-passen to watch, pay attention
auf-räumen to put in order,
to clear away
auf-tauchen (ist) to emerge,
appear
auf-tauen (ist) to thaw; to become talkative
der **Auftrag,** –(e)s, ¨e commission, order
auf-tun# to open up
der **Aufzug,** –(e)s, ¨e elevator
das **Auge,** –s, –n eye
aus out, out of, from, (made)
of
aus-bauen to build up, to improve
aus-bomben to bomb out
aus-denken# to contrive, invent, devise
der **Ausdruck,** –s, ¨e expression;
aus-drücken to express
das **Ausflugsziel,** –(e)s, –e destination of an excursion
die **Ausgabe,** –n edition; expenditure; **aus-geben**# to spend
(money)
**aus-laden, (lädt aus), lud aus,
ausgeladen** to unload
der **Ausländer,** –s, – foreigner
die **Ausnahme,** –n exception; **ausnahmsweise** by way of exception
die **Ausreise,** –n leaving (a country)

der **Ausrufer, –s, –** crier; town
crier
aus·schlafen# to sleep off
aus·sehen# to look, appear
außen outside, abroad
der **Außenhafen, –s, ¨** outer harbor
außer besides, except, out of;
außerdem moreover, not to
mention
die **Aussicht, –en** view; prospect
aus·sprechen# to pronounce;
express
aus·steigen# (ist) to get off
die **Ausstellung, –en** exhibition
aus·sterben# (ist) to die
out
aus·suchen to select
aus·träumen to cease dream-
ing
aus·trinken# to drink up; to
drain (a glass)
aus·wandern (ist) to emigrate;
to set out
das **Auto, –s, –s** auto; das **Automo-
bil, –s, –e** automobile; die
Autostraße, –n highway

der **Backsteinbau, –(e)s, –bauten**
brick building
die **Badekur, –en** a cure with
(mineral) water
der **Badegast, –(e)s, ¨e** summer
vacationer, vacationer in a
spa; der **Badeort, –(e)s, –e**
seaside resort, spa
baden to bathe
baggern to dredge
der **Bahnhof, –(e)s, ¨e** railroad
station; der **Bahnhofsplatz,
–es, ¨e** station square
das **Bakkarat, –s** baccarat (French
card game)

bald (eher, am ehesten) soon,
shortly
der **Balkon, –s, –e** balcony
die **Balneologie** balneology (science of therapeutic use of
natural mineral water)
das **Band, –(e)s, ¨er** ribbon, band
die **Bank, ¨e** bench, seat
der **Bankier, –s, –s** banker
der **Bär, –en, –en** bear
barfuß barefoot
die **Barockzeit** Baroque period
der **Bau, –(e)s, –ten** building; die
Bauausstellung, –en architectural exhibit; **bauen** to
build; der **Baumeister, –s, –**
architect; der **Bauteil, –(e)s,
–e** part of the building; das
Bauwerk, –(e)s, –e building
die **Bauernfrau, –en** farmer's wife;
das **Bauernhaus, –es, ¨er**
farm house; das **Bauern-
mädchen, –s, –** farm girl
der **Baum, –(e)s, ¨e** tree
das **Bayern, –s** Bavaria
beantragen to move, propose
bebauen to build on, to cover
with buildings
bedenken# to ponder, consider, reflect on
bedeuten to mean
das **Beefsteak, –s, –s** beef steak
beeindrucken to impress
der **Befehl, –(e)s, –e** command,
order
begabt gifted, talented
begegnen (ist) (dat.)
begeistert enthusiastic
beginnen, begann, begonnen
to begin
**begraben (begräbt), begrub,
begraben** to bury
begreifen, begriff, begriffen to
understand

begrüßen to greet, welcome
behandeln to treat
behaupten to assert, affirm
beherrschen to rule over, dominate
bei by, at, on, with, at the house of; **bei uns** in our country
bei-behalten# to keep on, retain
beide both, two
der **Beifall, –s** approbation, applause
beinahe almost, nearly
bei-tragen# to contribute
das **Bein, –(e)s, –e** leg
das **Beispiel, –(e)s, –e** example; **zum Beispiel** for example
die **Bekanntmachung, –en** notification, public notice
bekommen# (hat) to receive, get
sich **beklagen** to complain
belagern to besiege
belasten to burden, encumber
beliebt popular
die **Belohnung, –en** reward, gratuity
bemalen to paint
bemannen to man
bemerken to notice; **die Bemerkung, –en** observation, remark
sich **bemühen** to take trouble, to strive
benutzen to use
berauschen to intoxicate
bereits already
der **Berg, –(e)s, –e** mountain; **die Bergbahn, –en** mountain railroad (cog or cable); **das Bergflüßchen, –s, –** mountain stream; **der Berghang, –(e)s, ⁻e** mountain slope;

der **Bergsee, –s, –n** mountain lake
berüchtigt infamous, notorious
berufen# to call, appoint
berühmt famous
beschädigen to damage, injure
der **Bescheid, –(e)s, –e** knowledge, information; **Bescheid wissen** to have knowledge of
bescheiden modest, discreet; **die Bescheidenheit** modesty, discretion
beschützen to protect, guard
besichtigen to inspect, to view, to go sightseeing; **die Besichtigung, –en** inspection, viewing
besiedeln to settle, colonize
besiegeln to seal
besingen# to celebrate in song
der **Besitz, –es, –e** possession, property; **besitzen** to possess
besohlen to sole shoes
besonder particular, distinct, singular; **besonders** especially
besser better (see **gut**)
best– best (see **gut**)
bestätigen to confirm, establish
bestehen# to undergo; to pass (an examination); to endure **bestehen aus** to consist of; **bestehend** existing
bestellen to order; to cultivate
bestricken to ensnare; to charm
der **Besuch, –(e)s, –e** visit; company, visitors; **besuchen** to visit; **der Besucher, –s, –** visitor

der **Beton, –s** concrete; **die Beton-mauer, –n** concrete wall

betrachten to view; to contemplate

der **Betrieb, –(e)s, –e** hustle-bustle

das **Bett, –(e)s, –en** bed

die **Bevölkerung, –en** population

bevor (*conj.*) before

bewachen to watch, guard

bewahren to keep, preserve

die **Bewegung, –en** movement, motion; **sich** (*dat.*) **Bewegung machen** to exercise

beweisen, bewies, bewiesen to prove

bewohnen to inhabit, to live in

bewundern to admire; wonder at; **bewundernswert** admirable, wonderful; **die Bewunderung** admiration, wonder

bewußt known, conscious

bezahlen to pay

die **Bezeichnung, –en** designation, marking

beziehen# to occupy; to refer; **Hauptquartier beziehen** to set up headquarters

die **Bibel, –n** Bible

die **Biegung, –en** bend

das **Bier, –(e)s, –e** beer; **der Bierkrug, –(e)s, ⁼e** beer mug

bieten, bot, geboten to offer, present

das **Bild, –(e)s, –er** picture, image; **bildlich** pictorial

das **Bilden, –s** sculpturing; **der Bildhauer, –s, –** sculptor

billig cheap, inexpensive, moderate

bis until, to, up to; **bis auf** with the exception of; **bis**

da until then; **bisher** up to now; **bis zu** up to

der **Bischof, –s, ⁼e** bishop

bitte please

bitten, bat, gebeten to ask, request, invite; **bitten um** to ask for

bitter bitter, sharp

bißchen (ein) a little

das **Blatt, –(e)s, ⁼er** leaf

blauäugig blue-eyed

bleiben, blieb, ist geblieben to remain

der **Blick, –(e)s, –e** look, glance, view; **auf den ersten Blick** at first sight; **blicken** to glance, look

blitzblank bright and shining

blitzen to lighten, to flash

blühen to flourish, bloom

die **Blume, –n** flower; **der Blumennarr –en, –en** one who is crazy about flowers

das **Blut, –(e)s** blood

der **Boden, –s, ⁼ (–)** ground, soil, floor

die **Bohême** (*coll.*) the Bohemians

bombardieren to bombard, shell

die **Bombe, –n** bomb; **der Bombenangriff, –(e)s, –e** bomb attack

das **Boot, –(e)s, –e** boat

böse bad, evil; angry

die **Botschaft, –en** message, news

der **Brand, –(e)s, ⁼e** burning, fire; **in Brand stecken** to set on fire

braten, (brät), briet, gebraten to roast, bake, fry; **die Bratwurst, ⁼e** sausage for frying

der **Brauch, –(e)s, ⁼ e** custom; **brauchen** to need, use

braun brown
brav upright, honest, fine,
   good
brechen, (bricht), brach, ge-
   brochen to break
breit broad, wide
der Bremer, –s, – native of
   Bremen
brennen, brannte, gebrannt
   to burn
die Bretzel, –n pretzel
der Brief, –(e)s, –e letter
der Briefmarkensammler, –s, –
   stamp collector
bringen, brachte, gebracht to
   bring
die Bronze, –n bronze
das Brot, –(e)s, –e bread
die Brücke, –n bridge
der Bruder, –s, ⁓ brother; die
   Brüderschaft, –en brotherhood, fellowship; der Brüderschaftstrunk, –(e)s, ⁓e a
   drink to brotherhood
der Brunnen, –s, – spring, well,
   fountain
die Brust, ⁓e breast
das Buch, –(e)s, ⁓er book; der
   Bücherkatalog, –s, –e book
   catalogue
die Bucht, –en inlet, bay
die Bude, –n a student's room,
   lodging (student sl.)
die Bühne, –n stage
das Bukett, –(e)s, –s bouquet
das Bundeshauptdorf, –(e)s federal capital village; die
   Bundeshauptstadt federal
   capital; die Bundesrepublik
   Federal Republic; der Bundestag, –(e)s lower house
   of parliament
bunt gay-colored, bright
die Burg, –en (fortified) castle;

die Burgruine, –n castle
   ruins
der Bürger, –s, – citizen; der
   Bürgermeister, –s, – mayor;
   die Bürgerschaft citizenry;
   der Bürgerstolz, –(e)s civic
   pride
das Bürohaus, –es, ⁓er office building; das Bürohochhaus, –es,
   ⁓er office building
die Burschenherrlichkeit glorious
   college days
die Butter butter

das Café, –s, –s café
das Campusleben, –s campus life
der Champagner, –s, – cham-
   pagne (wine)
die Chance, –n chance, opportunity
das Chanson, –s, –s song
der Charakter, –s, –e character,
   type, disposition
der Charm, –s charm
chemisch chemical
der Chor, –(e)s, ⁓e chorus, choir
der Christbaumschmuck, –(e)s
   Christmas tree decoration
der Christkindlmarkt, –(e)s, ⁓e
   Christmas fair
christlich Christian

da (adv.) there, then; (conj.)
   since, when
dabei at the same time;
   thereby, by that, with it
das Dach, –(e)s, ⁓er roof
dadurch through that, because
   of that
dafür for it, for that
dagegen against it or them; in
   contrast

daher hence, for that reason

damals at that time

die **Dame, –n** lady

damit (*adv.*) with it; (*conj.*) so that, in order that

der **Dampfer, –s, –** steamer

danach, after that, afterwards; for that or it

das **Dänemark, –s** Denmark

der **Dank, –(e)s** thanks, gratitude; **Gott sei Dank!** thank God!

dann then

daran at it, on it, of it

darauf on it, of it; **darauf hin** thereupon

daraus out of it, of it

darin in it

die **Darmkolik, –en** intestinal colic

dar-stellen to exhibit, represent, display

darüber over or concerning it it or them

darum therefore; about it, to it

das **Dasein, –s,** presence, existence, life

daß (*conj.*) that

dauern to last; **dauernd** continually

die **Dauerwelle, –n** permanent wave

davon thereof; of or from it or them

davor in front of it or them

dazu to it, for it; besides, in addition; for that purpose

die **Decke, –n** ceiling; **die Deckenmalerei, –en** paintings on the ceiling, frescos

definieren to define

der **Delinquent, –en, –en** delinquent

der **Demokrat, –en, –en** democrat;

demokratisch democratic

denken, dachte, gedacht to think; **sich** (*dat.*) **denken** to imagine, fancy, realize; **denken an** (*acc.*) to think of; der **Denker, –s, –** thinker, philosopher

das **Denkmal, –(e)s, ̈er** monument

denn for, because, since; tell me##

dennoch yet, nevertheless

der, die, das, die (*pl.*) (*def. art.*) the; (*demonstr.*) he, she, it, they, this one, that one, those; (*rel.*) who, which, that

derselbe, dieselbe, dasselbe the same

deshalb therefore, for that reason

der **Detektiv, –s, –e** detective

deutlich distinct, clear

deutsch German; **deutsch-amerikanisch** German-American; das **Deutschland, –s** Germany

der **Dialekt, –s, –e** dialect

dicht close, dense

dichten to write poetry; der **Dichter, –s, –** poet

dick thick, fat

dienen (*dat.*) to serve; der **Diener, –s, –** servant; **dienlich** of service

das **Ding, –(e)s, –e** thing, matter

der **Diplomat, –en, –en** diplomat

die **Distanz, –en** distance

distinguiert distinguished

doch however, but, yet, anyway, after all; certainly, really##

der **Doktor, –s, –en** doctor; **die**

Doktorarbeit, –en doctoral thesis

der **Dom, –(e)s, –e** cathedral; **die Domruine, –n** cathedral ruins; **die Domstadt, ̈e** cathedral city; **der Domturm, –(e)s, ̈e** cathedral tower **donnern** to thunder; **Donnerwetter! ye gods!**

das **Dorf, –(e)s, ̈er** village **dort** there; **dorther** from yonder, thence; **dorthin** to that place, there **dösen** (low German *dial.*) to doze

die **Drahtseilbahn, –en** cable railway

das **Drama, –s, –en** drama **draußen** outside **drehen** to turn; to film moving pictures **drei** three **dritt–** third; **das Drittel, –s, –** one third (fraction) **drüben** over there, on the other side **drucken** to print, to stamp

das **Duell, –(e)s, –e** duel **dumm (dümmer, dümmst–)** dull, stupid; **der Dummkopf, –(e)s, ̈e** simpleton

die **Düne, –n** sandhill, dunes **dunkel** dark; **dunkelblau** dark blue **dünn** thin, fine, slim **durch** through; by **durchbrechen#** (*also sep.*) (*aux.* **haben** *and* **sein**) to break through, pierce **dürfen, (darf), durfte, gedurft** may, can, to be permitted, to be allowed

der **Durst, –es** thirst; **Durst haben** to be thirsty; **über den Durst trinken** to drink more than one should

das **Dutzend, –s, –e** dozen

die **Dynastie, –n** dynasty

eben (*adj.*) even, level; (*adv.*) simply, just, just now; **ebenso** just as; **ebensoviel** just as much **echt** genuine, real, pure, authentic **edel** precious, noble, exalted

die **Ehre, –n** honor, reputation, glory; **der Ehrenbürger, –s, –** honorary citizen; **der Ehrentrunk, –(e)s, ̈e** a toast to honor a person; **ehrwürdig** respectable, venerable **eigenartig** peculiar **eigentlich** actual, real **ein-bauen** to build into, install

der **Eindruck, –(e)s, ̈e** impression **einfach** simple **ein-fallen#** (**ist**) to occur; **Da fällt mir gerade ein** It just occurs to me

der **Einfluß, –sses, ̈sse** influence **ein-führen** to introduce; to import

der **Eingang, –(e)s, ̈e** entrance, doorway **ein-halten#** to follow, observe; to restrain **einige** some, a few **ein-kassieren** to collect (money) **ein-kaufen** to shop, purchase **ein-laden (lädt ein), lud ein eingeladen** to invite; to load on or in **einmal** once; **auf einmal** at

once, suddenly; **nicht einmal** not even
die **Einreise, —n** entering (a country)
ein-richten to arrange, adapt; to furnish (a house); **die Einrichtung, —en** arrangement; furnishings
einsam lonely, solitary
ein-schlafen# (ist) to go to sleep
ein- schließen, schloß ein, eingeschlossen to enclose, include
ein-sperren to shut or lock up
einst once; **von einst** from former times; **einstig** former
ein-tragen# to enter, to post (in a book); to register
ein-träufeln to trickle in; to drip in
ein-treten# (ist) to enter
einverstanden sein# (ist) to agree, be agreed; **einverstanden!** agreed!
ein-wandern (ist) to immigrate
ein-wickeln to wrap up
der **Einwohner, —s, —** inhabitant
einzig single, only
das **Eisen, —s, —** iron; **die Eisenbahn, —en** train, railway; **das Eisenerz, —es, —e** iron ore; **eisern** (adj.) iron
der **Eispalast, —s, ⁻e** skating rink
die **Elbemündung** the mouth of the Elbe River
elegant elegant, smart
die **Eltern** (pl.) parents; **das Elternhaus** parents' house
empfangen, (empfängt), empfing, empfangen to receive
empfehlen, (empfiehlt), emp-

fahl, empfohlen to recommend
empfinden# to feel, to perceive
empor-klettern (ist) to climb aloft
das **Ende, —s, —n** end; **zu Ende** at an end, over; **zu Ende bauen** to finish building; **enden** to finish, to terminate; **endlich** finally
eng narrow
der **Engel, —s, —** angel
englisch English; **das Englisch** English; **der Engländer, —s, —** Englishman
der **Enkel, —s, —** grandson
enorm enormous
das **Ensemble, —s, —s** ensemble
entfernt distant, remote; **die Entfernung, —en** distance, separation
entlang (acc.) along; **an** (dat.) **entlang** along
entlegen remote, distant
entscheiden, entschied, entschieden to decide, to decree
die **Entstehung, —en** origin
enttäuschen to disappoint, disillusion
entwerfen# to plan, design, sketch
entzückend delightful, charming
erbauen to build, erect
der **Erbe, —n, —n** heir, successor; **der Erbprinz, —en, —en** heir apparent
die **Erde** earth; **der Erdteil, —(e)s, —e** continent
die **Erfahrung, —en** experience
erfinden# to invent; to fabricate(a story); **die Erfindung, —en** invention

folgen (ist) (*dat.*) to follow

die **Fontäne,** –n fountain

der **Forscher,** –s, – researcher, scholar

der **Fortschritt,** –(e)s, –e progress, improvement

das **Frachtschiff,** –(e)s, –e freighter

die **Frage,** –n question; **fragen** to ask

der **Franke,** –n, –n Frank; das **Franken,** –s Franconia; das **Frankenland,** –(e)s Franconia; der **Frankenwein,** –(e)s, –e Franconian wine; **fränkisch** Franconian

das **Frankreich,** –s France

der **Franzose,** –n, –n Frenchman; **französisch** French

die **Frau,** –en woman, wife; Mrs.

das **Fräulein,** –s, – young woman; Miss

frei free; **im Freien** outside, outdoors; die **Freiheit,** –en freedom

fremd foreign, strange; der **Fremde,** –n, –n (ein Fremder) stranger, foreigner; die **Fremdenführerin,** –nen guide (woman)

der **Fresko-Maler,** –s, – fresco painter

die **Freude,** –n joy

sich **freuen über** (*acc.*) to be happy about, to rejoice in; **sich freuen auf** (*acc.*) to look forward to; **es freut mich** I am glad

der **Freund,** –(e)s, –e friend

der **Friede,** –ns peace; **friedlich** peaceful

frieren, fror, gefroren to freeze

der **Friese,** –n, –n Frisian; **frie-**sisch Frisian (*adj.*)

frisch fresh; **frischgebacken** freshly baked

froh glad

früh early; **früher** former, earlier; **frühmorgens** early in the morning

das **Frühstück,** –(e)s, –e breakfast

fühlen to feel; **sich fühlen** to feel (in good/bad health)

führen to lead, take, bear (a name); der **Führerbau** the building for the **Führer** (Hitler)

füllen to fill

fünf five

funkeln to sparkle, glitter

für for

die **Furcht** fear

furchtbar terrible, awful; **fürchten** to fear; to be afraid of; **sich fürchten vor** (*dat.*) to be afraid of

der **Fürst,** –en, –en prince; der **Fürstbischof,** –(e)s, ⁼e prince-bishop

der **Fuß,** –es, **Füße** foot

futsch (*sl.*) lost, gone, ruined

das **Futterkörbchen,** –s, – small basket of food

futtern (*sl.*) to stuff oneself

füttern to feed

die **Galavorstellung,** –en gala performance

der **Gallo-Römer,** –s, – Gallo-Roman

galoppieren to gallop

der **Gang,** –(e)s, ⁼e course (of a meal) ; walk; step, gait; errand

ganz quite, very, entire

gar nicht not at all

die **Gartenstadt,** "e garden city
die **Gasse,** –n narrow street
der **Gast,** –(e)s, "e guest; das
  Gasthaus, –(e)s, "er restaurant, inn; der **Gasthof,**
  –(e)s, "e hotel, inn; das
  Gastspiel, –(e)s, –e performance on tour; die **Gast-**
  stätte, –n restaurant
gebären, gebar, geboren to
  give birth to, bring forth;
  geboren werden to be born
das **Gebäude,** –s, – building
geben (gibt), gab, gegeben to
  give; **es gibt** there is, there
  are, there exists, there exist
das **Gebiet,** –(e)s, –e district,
  province, department
das **Gebirge,** –s, – mountain range
der **Gebrauch,** –(e)s, "e custom,
  way, manner
das **Geburtshaus,** –(e)s, "er birth-
  place (house); der **Geburts-**
  tag, –(e)s, –e birthday
die **Gedächtniskirche,** –n memorial church
der **Gedanke,** –ns, –n thought,
  idea
das **Gedicht,** –(e)s, –e poem
die **Gefahr,** –en danger; **gefähr-**
  lich dangerous
der **Gefallen,** –s, – favor; **gefallen,**
  (gefällt), **gefiel, gefallen**
  (dat.) to please, suit
der **Gefangene,** –n (ein **Gefan-**
  gener) prisoner; das **Ge-**
  fängnis, –ses, –se jail,
  prison
das **Gefühl,** –(e)s, –e feeling
gegen towards, to, against, op-
  posed to; der **Gegensatz,**
  –es, "e contrast; opposition;
  antithesis; die **Gegenwart**
  presence; present time; ge-
  genüber opposite; **gegenü-**
  ber (*prep. with preceeding*
  dat.) opposite (to)
geheim secret; das **Geheimnis,**
  –ses, –se secret
gehen, ging, (ist) gegangen to
  go; **das geht nicht** it is impossible; **es geht nicht ohne**
  to do without; **geht es**
  Ihnen auch so? does it also
  occur to you?
das **Gehirn,** –s, –e brain
gehorchen to obey (*dat.*)
gehören (*dat.*) to belong to (as
  a possession); **gehören zu** to
  belong to a group or organ-
  ization; **das gehört zusam-**
  men they go together
der **Geigenbauer,** –s, – violin-
  maker
der **Geist,** –es, –er spirit, soul, in-
  tellect; ghost; **geistig** intel-
  lectual; **geistlich** spiritual,
  religious; **geisteskrank** in-
  sane, diseased in mind
das **Gelände,** –s arable land, tract
  of ground, region
gelb yellow
das **Geld,** –(e)s, –er money
der **Gelehrte,** –n, –n (ein **Gelehr-**
  ter) scholar
gelingen, gelang, (ist) gelun-
  gen (*imp.*) (*dat.*) to succeed
gelitten *p.p. of* **leiden**
das **Gemälde,** –s, – picture, painting
die **Gemeinde,** –n municipality,
  community
die **Gemse,** –n chamois, Alpine
  goat
gemütlich congenial, easy-go-
  ing, cozy, home-like
genau exact
der **General,** –s, –e general

die **Generation, –en** generation

genießen, genoß, genossen to enjoy

genug enough; **genügen** to be enough; **genügen** (*dat.*) to satisfy

die **Geographie** geography; **geographisch** geographic

gerade just, exactly; straight; **geradlinig** forming a straight line

geräumig roomy, spacious

germanisch Germanic

gern, (lieber, am liebsten) gladly, like to; **lieber haben** (*or other verb*) to prefer; **am liebsten haben** to like best of all

gesamt total, entire, whole

der **Gesangverein, –s, –e** choral society, glee club

das **Geschäft, –(e)s, –e** shop, business; das **Geschäftshaus, –es, ̈er** office building

geschehen, (geschieht), geschah, (ist) geschehen to happen

das **Geschenk –(e)s, –e** gift

die **Geschichte, –n** story, history; die **Geschichtsstunde, –n** history class

die **Geschicklichkeit** skill, dexterity

geschieht see **geschehen**

das **Geschlecht, –(e)s, –er** gender, species, sex

der **Geschmack, –(e)s, ̈e** taste; **geschmackvoll** tasteful, having good taste

die **Gesellschaft, –en** society

das **Gesicht, –(e)s, –er** face; das **persönliche Gesicht** personal touch

das **Gespenst, –es, –er** ghost, apparition

die **Gestalt, –en** form, figure

gestehen, gestand, gestanden to admit, confess

gestern yesterday

gesund healthy

das **Getto, –s, –s** ghetto

gewaltig powerful, strong

das **Gewerbe, –s, –** craft, trade

gewesen *p.p. of* **sein**

gewinnen, gewann, gewonnen to win, gain

gewiß sure, certain, undoubted

das **Gewissen, –s, –** conscience

das **Gewitter –s, –** thunderstorm

gewöhnen to accustom; **sich gewöhnen an** (*acc.*) to get accustomed to; **gewöhnlich** usual, ordinary

das **Giebelhaus, –es, ̈er** gabled house

der **Gipfel, –s, –** summit, top

glänzend brilliant, splendid

die **Glanzzeit, –en** peak

das **Glas, –es, ̈er** glass; das **Gläschen, –s, –** little glass; das **Glasfenster, –s, –** glass window; die **Glaswaren** (*pl.*) glassware

der **Glaube, –ns, –n** belief, faith; **glauben** to believe; **gläubig** devout, faithful, religious

gleich same, equal, like; immediately; **einem gleich kommen** to be equal to; das **Gleichgewicht, –(e)s** balance; **gleichgültig** indifferent

das **Glied, –(e)s, –er** limb, member

glitzern to glitter, glisten

das **Glockenspielhaus, –es, ̈er**

house which contains the chimes or carillon

das **Glück,** –(e)s luck, happiness; **zu unserm Glück** luckily for us; **glücklich** fortunate, happy, lucky

die **Gnade,** –n grace; pardon; **gnädig** gracious

golden golden; die **Goldmark** gold mark; der **Goldschrein,** –(e)s, –e, coffer containing gold jewelry

das **Golf,** –(e)s golf

die **Gotik** Gothic; **gotisch** Gothic (*adj.*)

der **Gott,** –(e)s, ⸚er god, God; der **Götterfunken,** –s, – divine spark; **Gott sei Dank** thank God!

der **Graf,** –en, –en count **grausam** cruel, horrible, gruesome

die **Grenzstadt,** ⸚e city on the border

der **Grieche,** –n, –n Greek **groß,** (**größer, größt–**) big, great, large, tall; **großartig** grand, magnificent, splendid; der **Großbau,** –s, –ten big building; der **Großfürst,** –en, en grand duke; der **Großherzog,** –s, ⸚e grand duke; der **Großkaufmann,** –(e)s, –leute wholesale dealer; merchant; die **Großmutter,** ⸚ grandmother; die **Großstadt,** ⸚e metropolis; der **Großvater,** s, ⸚ grandfather

die **Grotte,** –n grotto **grün** green; die **Grünanlage,** –n grounds, park; **grünen** to grow, flourish

der **Grund,** –(e)s, ⸚e reason; ground, base; **im Grunde** after all, really; **gründen** to found, establish; to base (argument); der **Gründer,** –s, – founder

grüßen to greet

gucken to look, peep, peer

gurgeln to gargle

gut, (**besser, best–**) good; **gutmütig** good-natured

das **Gut,** -(e)s, ⸚er commodity; property

das **Gymnasium,** –s, –ien German classical high school

das **Haar,** –(e)s, –e hair

haben, (**hat**), **hatte, gehabt** to have; **zu haben sein** to be ready for

der **Hafen,** –s, ⸚ port, harbor; der **Hafenarbeiter,** –s, – harbor workman; die **Hafenbehörde,** –n port authority

hageln to hail

der **Hahn,** –(e)s, ⸚e rooster

halb half; **ein halber** one half

die **Halle,** –n hall, great room

der **Hals,** –es, ⸚e neck, throat; die **Halsschmerzen** (*pl.*) sore throat

halten, (**hält**), **hielt, gehalten** to stop, hold; **sich halten** to hold on, continue to exist; **halten für** to consider (to be); **halten von** to think of

die **Haltung,** –en attitude; mien, carriage

die **Hand,** ⸚e hand; **handgeschnitzt** hand-carved; der **Handschuh,** –(e)s, –e glove; die **Handtasche** –n handbag; das **Handwerk,** –(e)s, –e handicraft, trade; der

Handwerksmeister, –s, –
master craftsman
der **Handel, –s, –** trade, commerce; **die Handelsstadt, ¨e**
commercial city
hängen, hing, gehangen to
hang; **hängen an** (*dat.*) to
be fond of, to be attached to
das **Hansaviertel, –s** the Hansa
section
die **Hansestadt, ¨e** Hanseatic city
hassen to hate
die **Hast** haste, hurry; **hasten** to
rush along, hasten
der **Hauptbahnhof, –s, ¨e** main
railroad station; **der Hauptmarkt, –(e)s, ¨e** main market place; **das Hauptquartier, –s, –e** headquarters;
die Hauptsache, –n main
point, the essential thing;
die Hauptstadt, ¨e capital
das **Haus, –es, ¨er** house; **zu
Hause** at home; **zu Hause
sein** (*idiom.*) native to; **die
Hausfassade, –n** the front
of the house; **das Hausrezept, –s, –e** home remedy,
prescription
das **Havelwasser** water of the
Havel River
heidnisch heathen
heil unhurt, sound, whole; **das
Heilbad, –(e)s, ¨er** mineral
bath; **heilen** to heal, cure;
die Heilkraft, ¨ healing
power; **das Heilmittel, –s, –**
remedy; **die Heilquelle, –n**
mineral water spring
heilig holy; **heiligen** to hallow; **die Heiligenstatue, –n**
statue of a saint
die **Heimat** home, native place or
country

heiraten to marry
heiter clear, bright; happy,
gay
heiß hot
heißen, hieß, geheißen to be
called; to mean; **das heißt**
that is to say
der **Held, –en, –en** hero; die
Heldensage, –n heroic legend
helfen, (hilft), half, geholfen
(*dat.*) to help
hell clear, bright, light; **am
hellen Tage** in broad daylight
her here (towards speaker);
from; ago
heraus-geben# to publish
heraus-schneiden# to cut,
carve out
heraus-wachsen# (ist) to grow
out of
heraus-ziehen# to draw out
der **Herbst, –es, –e** fall, autumn
herein-kommen# (ist) to
come in
her-geben# to give away, to
give up, to deliver
her-kommen# (ist) to approach, to come from
heroisch heroic
der **Herr, –n, –en** man, gentleman, master, Mr.; **alter
Herr** elderly gentleman;
mein alter Herr father
(*student sl.*)
herrlich magnificent
herrschen to rule; **der Herrscher, –s, –** ruler
her-stellen to produce, set up,
establish
herüber-kommen# (ist) to
come over
herum round about, about

herum-laufen# (ist) to run around, about

herunter-kommen# (ist) to come down

hervor-bringen# 'to produce

hervor-gehen# (ist) to go or come forth; to result; to follow (as a consequence)

hervor-zaubern to conjure forth

das Herz, —ens, —en heart; es liegt mir am Herzen I have it at heart; die Herzenslust great joy; nach Herzenslust to one's heart's content; herzhaft heartily; herzlich hearty, cordial

der Herzog, —s, ⸚e duke

heute today; heute abend this evening; heute morgen this morning; heute nacht tonight, last night; heutig of today; modern

die Hexe, —n witch

hier here

hieß see heißen

der Himmel, —s heaven, sky

hinab-fahren# (ist) to travel down

hinauf up

hinauf-führen to lead up to

hinaus out

hinaus-schauen to look out on

hinaus-sehen# to look out; hinaus-sehen auf (acc.) to look out on

hindurch throughout, through

hinein into

hinein-fahren# (ist) to drive into

hinein-passen to fit in

hinein-stellen to put in

hinter behind, in rear of

der Hintergrund, —(e)s, ⸚e background; der Hinterhof, —(e)s, ⸚e back yard

hinüber over there; across

hinüber-fahren# (ist) to go or travel across

hinüber-schauen to look across; look over there

hinüber-schwimmen# (ist) to swim across

hinunter-fahren# (ist) to travel down

hinunter-sehen# to look down

hinunter-steigen# (ist) to go down, climb down

historisch historical

die Hitze heat

hoch, (höher, höchst—) high; (hoh— as decl. adj.); das Hochdeutsch, —en High German; das Hochgebirge, —s, — high mountain range; hochmütig haughty, proud; die Hochschule, —n college; der Hochofen, —s, ⸚ blasting furnace

sich hoch-rappeln to pull oneself up

der Hof, —(e)s, ⸚e yard; palace court; farm; der Hofgarten, —s, ⸚ park surrounding residence of a prince; der Hofnarr, —en, —en court jester; das Hoftheater, —s, — court theater

hoffen to hope; hoffentlich I hope, it is to be hoped

hoh— see hoch

die Höhe, —n height, altitude

holen to fetch, go and get

das Holz, —es, ⸚er wood; der Holzengel, —s, — wooden angel; der Holzschnitzer, —s, — wood carver; die

Holzschnitzerei, –en wood carving; die Holzveranda, –en wooden balcony

hören to hear; der Hörsaal, –(e)s, Hörsäle lecture room; auditorium

das Hotel, –s, –s hotel

hübsch pretty, handsome

der Hügel, –s, – hill

hüllen to wrap, cover

der Hummer, –s, - lobster

der Humor, –s humor

der Humpen, –s, – bumper, tankard

der Hund, –(e)s, –e dog

hundert one hundred; hundertfünfzig one hundred and fifty; hunderttausende hundreds of thousands

der Hunger, –s hunger, appetite; Hunger haben to be hungry

der Hut, –(e)s, ⁻e hat

die Hydrotherapie, –n hydrotherapy

die Hymne, –n hymn

das Ideal, –s, –e ideal, image; das Idealbild, –(e)s, –er ideal picture; prototype

die Idee, –n idea

illustre illustrious

im (contr.) in dem

immer always; immerhin no matter; still; immer noch still; immer wieder again and again; immerzu continually, always

imposant imposing

in in, into; innen within; inner interior; das Innere, –n; ins (contr.) in das

die Industrie, –n industry; die

Industriestadt, ⁻e industrial city

die Information, –en information

der Ingenieur, –s, –e engineer

der Inhalt, –s contents

die Insel, –n island

inspirieren to inspire

das Instrument, –(e)s, –e instrument

die Inszenierung, –en production or staging

interessant interesting; interessieren to interest; sich interessieren für to be interested in

investieren to invest

inwiefern in what way? to what extent?

inzwischen in the meantime

ironisch ironical

isolieren to isolate

das Italien, –s Italy

italienisch Italian

ja yes, indeed, of course, as you know##

das Jahr, –(e)s, –e year; der Jahrgang, –(e)s, ⁻e vintage (of wine); das Jahrhundert, –s, –e century; –jährig years old; jährlich annual

jammerschade crying shame

der Japaner, –s, – Japanese

jedenfalls in any case; however

jeder, jede, jedes each, every; everyone, everything; jedesmal every time

jener, jene, jenes that

jetzt now

der Jude, –n, –n Jew; der Judenstern, –(e)s, –e star of David

die Jugend youth; die Jugendherberge, –n youth hostel

jung, (jünger, jüngst–) young
der **Junge,** –n, –n boy
die **Jungfrau,** –en maiden, young
woman
der **Juni,** –s June
das **Juwel,** –s, –en jewel

der **Kadett,** –en, –en cadet
der **Kaffee,** –s, coffee; der **Kaffee-**
klatsch, –es, –e coffee party;
die **Kaffeestunde,** –n coffee
hour
der **Kaftan,** –s, –s caftan (a long
gown)
der **Kaiser,** –s, – emperor; die
Kaiserburg, –en imperial
castle; der **Kaiserdom,**
–(e)s, –e imperial cathe-
dral; **kaiserlich** imperial;
das **Kaiserreich,** –(e)s, –e
empire; die **Kaiserstallung,**
–en imperial stable; kai-
sertreu loyal to the emperor
der **Kai,** –s, –s pier, wharf
die **Kaje,** –n (Low German) pier,
wharf
kämmen to comb
der **Kampf,** –(e)s, ⁼e combat,
fight, struggle; **kämpfen** to
fight, struggle
der **Kanal,** –s, ⁼e canal
der **Kandelaber,** –s, – candela-
brum
die **Kapelle,** –n orchestra, private
band; chapel
Karl der Große Charlemagne
der **Karneval,** –s, –e carnival; die
Karnevalszeit, –en carnival
time
das **Karussell,** –s, –s (–e) merry-
go-round, carousel
das **Kasino,** –s, –s casino
die **Kathedrale,** –n cathedral

die **Katze,** –n cat; der **Katzen-**
sprung, –(e)s, ⁼ cat's leap;
Das ist nur ein Katzen-
sprung It is only a stone's
throw distant
der **Katzenjammer,** –s, – hang-
over
kaufen to buy; der **Kauf-**
mann, –(e)s, die **Kaufleute**
merchant, shopkeeper
kaum hardly, scarcely
der **Kegel,** –s, – nine pin; **mit**
Kind und Kegel with all
one's belongings
kein, keine, kein none, no,
not any
der **Keller,** –s, – cellar
die **Kellnerin,** –nen waitress, bar-
maid
kennen, kannte, gekannt to
know, to be acquainted
with; **kennen-lernen** to become acquainted with, to
meet; die **Kenntnis,** –se
knowledge, information,
skill
das **Kennzeichen** –s, – earmark,
sign, characteristic
die **Keramik,** –en ceramic; der
Keramiker, –s, – ceramist,
potter
die **Kerze,** –n candle
der **Kessel,** –s, – kettle, basin-like
hollow
kichern to giggle, chuckle
die **Kiefer,** –n (Scots) pine
das (der) **Kilometer,** –s, – kilometer
das **Kind,** –(e)s, –er child
die **Kindheit** no pl. childhood
das **Kino,** –s, –s movies; movie
house
die **Kirche,** –n church; die
Kirchenbaukunst, ⁼e

church architecture; **der Kirchgang, –(e)s** going to church

die **Kirsche, –n** cherry; **das Kirschwasser, –s, –** cherry brandy

der **Kitsch, –es** decorative object executed in poor taste, corniness

klangvoll evocative

klar clear, bright

der **Klassiker, –s, –** classicist

kleben to adhere (to), stick

kleiden to dress

klein small

klettern to climb

klingen, klang, geklungen to sound

das **Kloster, –s, ʺ** monastery, convent, cloister; **die Klosterschule, –n** monastery school

der **Klub, –s, –s** club

die **Kneipe, –n** tavern

der **Kniestrumpf, –(e)s, ʺe** knee sock, stocking

knipsen to snap (a picture)

der **Koffer –s, –** suitcase, trunk

die **Kohle- und Stahlindustrie** coal and steel industry

das **Kolleg, –s, –ien** lecture

Köln, –s Cologne; **der Kölner, –s, –** inhabitant of Cologne; **kölnisch** of Cologne

die **Kolonie, –n** colony

kolossal colossal, huge

der **Komiker, –s, –** comedian; **komisch** comical, funny

kommandieren to command, order

kommen, kam, (ist) gekommen to come; **daher kommt es, daß** hence it happens that; **Wie kommt es denn?** How does it happen? **Wie kamen Sie darauf?**

How did you happen to think of it?

komponieren to compose; **der Komponist, –en, –en** composer; **die Komposition, –en** composition

die **Kompresse, –n** compress, bandage

die **Konditorei, –en** pastry shop

der **König, –s, –e** king; **die Königin, –nen** queen; **königlich** royal; **der Königsthron, –(e)s, –e** royal throne

die **Konkurrenz, –en** competition

können, (kann), konnte, gekonnt to be able, can

konstitutionell constitutional

der **Kontakt, –s, –e** contact

der **Kontinent, –(e)s, –e** continent

der **Kontrast, –s, –e** contrast

das **Konzert, –s, –e** concert; **der Konzertsaal, –(e)s, –säle** concert hall

der **Kopf, –(e)s, ʺe** head

der **Körper, –s, –** body; **körperlich** bodily, physical

der **Kosmopolit, –en, –en** cosmopolite; **kosmopolitisch** cosmopolitan

kostbar costly, expensive, valuable; **kosten** to cost; **die Kosten** (*pl.*) cost(s), expense

das **Kostüm, –s, –e** costume; suit (lady's); **der Kostümball, –(e)s, ʺe** fancy dress ball

krank, (kränker, kränk(e)st–) sick, ill; **der Kranke (ein Kranker)** sick person; **das Krankenhaus, –es, ʺer** hospital; **die Krankheit, –en** sickness, illness

der **Kreis, –es, –e** circle, orbit

kreuz und quer zigzag; in all directions

der **Krieg,** –(e)s, –e war
kritzeln to scratch, scrawl
krönen to crown; der **Kronprinz,** –en, –en crown prince
der **Kronleuchter,** –s, – chandelier
der **Krüppel,** –s, – cripple, a stunted one
der **Kuchen,** –s, – cake
die **Kuckucksuhr,** –en cuckooclock
die **Kuh,** ¨e cow
kulinarisch culinary
die **Kultur,** –en culture, civilizazation; das **Kulturzentrum,** –s, –zentren cultural center
die **Kunst,** ¨e art; das **Kunstgewerbe,** –s, – handicraft; der **Kunsthistoriker,** –s, – art historian; der **Kunstsammler,** –s, – art collector; der **Kunstsinn,** –(e)s, –e taste or talent for art; die **Kunststadt,** ¨e art city; das **Kunstwerk,** –(e)s, –e work of art
der **Künstler,** –s, – artist; der **Künstlerball,** –s, ¨e artists' ball, dance; die **Künstlerkolonie,** –n artists' colony; **künstlich** artificial
die **Kur,** –en cure; course of treatment; der **Kurgast,** –(e)s, ¨e patient at a spa; das **Kurorchester,** –s, – resort orchestra; der **Kurort,** (e)s, –e spa, health resort; der **Kurpark,** –(e)s, –e park in a spa; die **Kurpflicht,** –en cure obligations, cure routine; die **Kurpromenade,** –n the main walk in the park of a spa; der **Kurstrand,** –(e)s, ¨e beach reserved for vacationers

der **Kurfürst,** –en, –en elector (electing prince)
kurz, (kürzer, kürzest–) short, brief; **vor kurzem** a short while ago; **kürzlich** recently
die **Küste,** –n coast

lächeln to smile
lachen to laugh
das **Lager,** –s, – camp
lagern to store
das **Land,** –(e)s, ¨er land, country, state; **auf dem Land(e) sein** to be in the country; **von dem Land(e)** from the country; **aus aller Herren Ländern** from all countries of the world; der **Landesfürst,** –en, –en reigning prince; der **Landesherr,** –n, –en lord of a country, ruler, sovereign
landen (ist) to land, disembark
die **Landschaft,** –en landscape, scenery
der **Landsknecht,** –(e)s, –e mercenary foot soldier
lang, (länger, längst–) long; **lange** for a long time; **langjährig** of many years, of long standing; **längst** long since, long ago, a long time
die **Langeweile** boredom; **langweilig** boring
langsam slow, slowly
der **Lärm,** –(e)s, noise
lassen, (läßt), ließ, gelassen to leave, allow, cause to; **wiedererstehen lassen** to have rebuilt
laufen, (läuft), lief, (ist) gelaufen to run

lauschen to listen to, to eavesdrop
laut loud
läuten to ring, peal
lauwarm lukewarm, tepid

das **Leben**, –s, – life; **für mein Leben gern** I would give anything to . . .; **sein Leben lang** all his life; **leben** to live; **lebend** living; **lebendig** alive, active, vivacious; **leben lassen** let live; **lebenslustig** cheerful, jovial; der **Lebensraum**, –(e)s, "e space, room for living; die **Lebensrettung**, –en life saving; die **Lebensweise**, –n mode of life, habits; **lebenswert** worth living; **mein Lebtag** in all my life
die **Lederhose**, –n leather shorts
leer empty
die **Legende**, –n legend
der **Lehnstuhl**, –(e)s, "e easy chair
lehren to teach; der **Lehrer**, –s, – teacher; die **Lehrerin**, –nen woman teacher
die **Leiche**, –n corpse
leicht easy, light
leid; es tut mir leid I am sorry
leiden, litt, gelitten to suffer
leider unfortunately
leihen, lieh, geliehen to loan
leise softly
leisten to perform, accomplish, produce
leiten to lead, guide, conduct
lernen to learn, study
lesen, (liest), las, gelesen to read
letzt last
leuchten to shine, emit light; **leuchtend** shining, bright

die **Leute** (*pl.*) people
das **Licht**, –(e)s, –er light
lieb dear, beloved, esteemed, nice; **mein Lieber** my dear fellow; die **Liebe** love, affection; **lieben** to love; **liebevoll** tender; **lieblich** lovely, charming
lieber *see* gern; **ich möchte lieber** I would prefer
der **Lieblingsautor**, –s, –en favorite author
das **Lieblingstier**, –(e)s, –e favorite animal, living creature **am liebsten** *see* gern
das **Lied**, –(e)s, –er song; die **Liederhalle**, –n concert hall, especially for choral singing; der **Liederkranz**, es, "e choral society
liegen, lag, gelegen to lie, be situated; **im Kampf liegen** to fight
ließ *see* lassen
der **Lift**, –(e)s, –e elevator
die **Linde**, –n linden tree; der **Lindenbaum**, –(e)s, "e linden tree
die **Linie**, –n line; **in erster Linie** above all, first and foremost
links to the left; **links liegen lassen** to neglect, disregard
das **Liter**, –s, – liter
das **Lodenjackett**, –s, –s jacket made out of coarse woolen water-proof cloth
die **Lorelei** a siren, who haunted a dangerous rock in the Rhine River; der **Loreleifels** –ens, –en Lorelei cliff
los-schießen, schoß los, losgeschossen go ahead, shoot!
die **Luft**, "e air, breeze; der **Luft-**

kurort, –(e)s, –e pure air resort

die **Lust,** ˬe pleasure, joy, inclination, desire; **Lust haben** (**zu**) to be inclined, to be in a mood to, to wish, to like; **lustig** jolly, merry, amusing **lutherisch** Lutheran

machen to make, do
die **Macht,** ˬe might, power; **mächtig** powerful, mighty; **der Machtkampf,** –(e)s, ˬe struggle for power
das **Mädchen,** –s, – girl
die **Madonna, Madonnen** madonna
mag *see* **mögen**
der **Magen,** –s, – stomach; **die Magenkolik,** –en stomach colic
magisch magic
die **Mahlzeit** –en meal (lunch or dinner)
das **Maiglöckchen,** –s – lily of the valley
der **Main,** –s Main river; **die Mainbrücke,** –n bridge across the Main river; **die Mainstadt,** ˬe city on the Main river
die **Majestät,** –en majesty; **majestätisch** majestic
das **Mal,** –(e)s, –e time; **zum ersten Mal(e)** for the first time
malen to paint; **der Maler,** –s, – painter; **die Malerei,** –en painting; **die Malerkolonie,** –n artists' colony; **der Malkasten,** –s, – paint box

man (*indef. pron. used only in nom. sing.*) one
mancher, manche, manches many a; some; **manchmal** sometimes
der **Mann,** –(e)s, ˬer man, husband; **der Männerchor,** –(e)s, ˬe men's choir
das **Manuskript,** –(e)s, –e manuscript
der **Mantel,** –s, ˬ coat, cloak
das **Märchen,** –s, – fairy tale; **der Märchenerzähler,** –s – teller of fairy tales; **die Märchenstadt,** ˬe fairy-tale city
die **Mark** mark (German coin)
der **Markgraf,** –en, –en margrave; **die Markgräfin,** –nen margravine
der **Markt,** –(e)s, ˬe market; **der Marktplatz,** –es, ˬe market place
das **Marschland,** –(e)s, ˬer marshy land
das **Marzipan,** –s marzipan
der **Maßkrug,** –(e)s, ˬe stein
der **Materialist,** –en, –en materialist; **die Materie,** –n matter, stuff, subject
die **Mathematik** mathematics
der **Matrose,** –n, –n sailor
die **Mauer,** –n wall
die **Maus,** ˬe mouse; **mäuschenstill** quiet as a mouse; **der Mäuseturm,** –(e)s the Mouse Tower
der **Mautturm,** –(e)s, ˬe toll tower
der **Mäzen,** –s, –e patron
mechanisch mechanical
die **Medizin,** –en medicine; **medizinisch** medical
das **Meer,** –(e)s, –e sea, ocean
mehr (*see* **viel**) more; **nicht**

mehr no longer; **mehrere** several

meinen to mean, think, say

die **Meißener Porzellanglocke,** –n porcelain clock made of Meissen china

meist (*see* viel) most; **meistens** mostly, usually; **am meisten** most of all; **meist photographiert** most photographed

der **Meister,** –s, – master; **der Meister-Schüler,** –s, – a student in a master class; **der Meisterschütze,** –en, –en master marksman; **das Meisterstück,** –(e)s, –e masterpiece, feat; **der Meistertrunk,** –(e)s, –e drinking feat; **das Meisterwerk,** –(e)s, –e masterpiece

die **Melodie,** –n melody

der **Mensch,** –en, –en man, person, individual, human being; **die Menschenhand,** –e human hand; **die Menschenmasse,** –n crowd; **die Menschenwürde** dignity of man; **die Menschheit** mankind

die **Mensur,** –en students' fencing duel

der **Mercedes** name of a car

merken to notice; **merkwürdig** remarkable, noteworthy

sich **merken** (*dat.*) to retain, to remember

das **Metallgitter,** –s, – metal grating

das (der) **Meter,** –s, – meter

das **Mietshaus,** –es, –er apartment house; **die Mietskaserne,** –n tenement house

die **Million,** –en million; **der Millionär,** –s, –e millionaire

das **Mineralbad,** –(e)s, –er mineral bath; **die Mineralquelle,** –n mineral spring; **das Mineralwasser,** –s, – mineral water; **der Mineralwasserkurort,** –(e)s, –e mineral watering spa

der **Ministerpräsident,** –en, –en president of cabinet council, prime minister

der **Minnesänger,** –s, – (**Minne** *med. for* **Liebe**) minnesinger, troubadour

die **Minute,** –n, minute

mischen to mix, blend, combine; **die Mischung,** –en mixture

das **Mißfallen,** –s displeasure, dissatisfaction

mit with; **mit** (*in compound words*) along; **miteinander** with one another

mit-bringen# to bring along

mit-erleben to experience, witness

mitgebracht *see* **mitbringen**

das **Mitglied,** –(e)s, –er member

mit-machen to experience

mit-nehmen# to take along

mit-singen# to join in singing

der **Mittag,** –(e)s, –e midday, noon; **mittags** at noon; **zu Mittag** at noon

das **Mittelalter,** –s Middle Ages; **mittelalterlich** medieval

das **Mitteleuropa,** –s Central Europe

mitten (in, auf) in the midst or middle of

die **Mitternacht,** –e midnight

der **Mitwirkende** (**ein Mitwirkender**) collaborator

möchte *see* mögen
die **Modekleidung, –en,** fashionable clothes
das **Modell, –s, –e** pattern, sample, model
modern modern
mögen, (mag), mochte, gemocht to like, want, may, desire (to)
möglich possible
sich **mockieren** to mock, sneer
der **Moment, –s, –e** moment
der **Monarch, –en, en** monarch; **die Monarchie, –n** monarchy
der **Mönch, –(e)s, –e** monk, friar; **die Mönchskutte, –n** cowl, monk's hood
der **Mondschein, –(e)s** moonlight
der **Morgen, –s –** morning; **morgen** tomorrow; **heute morgen** this morning; **morgens** in the morning; **die Morgengymnastik** morning exercise
die **Mosel** Moselle river
das **Motto, –s, –s** motto
müde tired
die **Mühe, –n** trouble, pains, toil; **mühsam** laborious, painstaking
der **Mund, (e)s, ¨e** mouth; **die Mundart, –en** dialect, idiom; **die Mündung, –en** mouth of a river, estuary
das **Münster, –s, –** cathedral
murmeln to murmur
das **Muschelboot, –(e)s, –e** boat formed like a shell
das **Museum, –s, Museen** museum
die **Musik** music; **der Musiker, –s, –** musician
musizieren to play or make music

müssen, (muß) mußte, gemußt to have to, must
das **Musterwohnhaus, –es, ¨er** model apartment house
der **Mut, –(e)s** courage, state of mind; **zumute sein** to feel; **mutig** courageous, brave
die **Mutter, ¨** mother
die **Mütze, –n** cap

na well then; **na ja** well then
nach (*prep.*) toward, to, after, according to; **nachdem** (*conj.*) after; **nachher** (*adv.*) afterwards; der **Nachkomme, –n, –n** descendant, successor; **die Nachwelt** posterity, future generations; der **Nachmittag, –(e)s, –e** afternoon
das **Nachbarhaus, –es, ¨er** neighboring house; **die Nachbarinsel, –n** neighboring island; **die Nachbarschaft, –en** neighborhood
nach-geben# to yield, grant
nächst– (*see* nah) next
die **Nacht, ¨e** night; **nachts** at night; **in die Nacht hinein** into the night; **heute Nacht** tonight; last night; **die Nachteule, –n** screech owl; **das Nachtleben, –s** night life; **das Nachtlokal, –(e)s, –e** night club
der **Nagel, –s, ¨** nail; **den Nagel auf den Kopf treffen** to hit the nail on the head
nah, (näher, nächst–) near
der **Name, –ns, –n** name; **nämlich** namely, you see# #, you know (parenthetical)
der **Napfkuchen, –s, –** a cake similar to coffeecake

die **Nationalgalerie, –n** national gallery

die **Natur, –en** nature; die **Naturkost** natural health foods; **natürlich** natural (not artificial); naturally, of course; die **Naturschönheit, –en** natural beauty

der **Nazibau, –(e)s, –ten** building of the Nazis

neben near, next to, beside; **nebeneinander** side by side

der **Neckar, –s** the Neckar river

nehmen, (nimmt), nahm, genommen to take; **ein Ende nehmen** to come to an end, be brought to an end

nein no

nennen, nannte, genannt, to name, call

das **Neonlicht, –(e)s, –er** neon light

nett nice, neat, pretty

neu new; das **Neue** the new; die **Neustadt** new part of a city; die **Neuzeit** modern times

neun nine

die **Nibelungenstadt, ⸚e** city of the Nibelungs

nich (*Berlin dial. for* **nicht**) not

nicht not; **nicht wahr?** isn't it so?

nichts nothing; das **Nichts** nothingness, chaos

nie never; **niemals** never; **niemand** no one

niederdeutsch Low German

nieder-knie(e)n (ist) to kneel down

sich **nieder-lassen#** to settle, establish oneself

nieder-reißen, riß nieder, niedergerissen to demolish

nirgendwo nowhere

das **Niveau, –s, –s** level

noch still, yet; **immer noch** still; **noch nie** never yet; **nochmal(s)** again, once more

das **Nordamerika, –s** North America

norddeutsch North German

die **Nordsee** North Sea; die **Nordseeseite** side on the North Sea

die **Nummer, –n** number

nun and now

nutzlos useless

nützlich useful

ob whether, if; **als ob** as if; **obwohl** although

oben above; **hier oben** up here, **nach oben** upward

oberst- (*superl. of* **ober**) top, highest, supreme

das **Obst, –es** fruit; der **Obstgarten, –s, ⸚** orchard

der **Ochse, –n, –n** ox

oder or

offen open; **offen gesagt** frankly speaking; **offenbar** evident, obvious

offiziell official

oft often

ohne without

die **Oper, –n** opera; das **Opernhaus, –es, ⸚er** opera house

die **Operette, –n** operetta

die **Orchesterbegleitung, –en** orchestral accompaniment

der **Orden, –s, –** decoration, order

organisch organic

die **Orgel, –n** organ

der **Ort**, –(e)s, –e place, spot, lo-
cality; die **Ortschaft**, –en
(inhabited) place; village,
market town
der **Ostchor**, –(e)s east choir
das **Ostdeutschland**, –s East Germany
der **Osten**, –s east, orient
das **Österreich**, –(e)s Austria
das **Ostpreußen**, –s East Prussia
die **Ostsee** Baltic Sea; die **Ostseeküste** Baltic coast; der **Ost-
seestrand**, –(e)s, –e Baltic
beach
die **Ostzone**, –n east zone
der **Ozean**, –s, –e ocean; der
Ozeanriese, –n, –n ocean
giant; ocean liner

das **Paar**, –(e)s, –e pair, couple;
ein paar (*indecl.*) a few, a
couple of
das **Paket**, –s, –e package, parcel
der **Paladin**, –(e)s, –e paladin
der **Palast**, –es ⁔e palace
das **Panorama**, –s, –s panorama
der **Papst**, –es, ⁔e pope
die **Parade**, –n parade; military
review
das **Paradies**, –es, –e paradise
Pariser (*indecl.*) Parisian
(*adj.*)
die **Parkanlage**, –n park, public
gardens
das **Parlament**, –(e)s, –e parliament
die **Parole**, –n watchword, pass-
word
der **Paß**, des **Passes**, die **Pässe**
passport, papers, pass
der **Passagierdampfer**, –s, – passenger steamer
der **Passant**, –en, –en passer-by

passen (*dat.*) to suit, fit; es
paßt zu goes with
das **Passionsspiel**, –(e)s, –e Passion Play
der **Patrizier**, –s, – patrician; die
Patrizierfamilie, –n patrician family; das **Patrizier-
haus**, –es, ⁔er patrician
house
die **Paulskirche** St. Paul's Church
das **Persien**, –s Persia
persönlich personal
der **Petersdom**, –(e)s St. Peter's
Cathedral
der **Pfahl**, –(e)s, ⁔e post, pile,
stake
der **Pfarrer**, –s, – clergyman, minister, parson
der **Pfau**, –(e)s, –en peacock
die **Pfeife**, –n pipe
der **Pfennig**, –s, –e pfennig (1/100
of a mark)
das **Pferd**, –(e)s, –e horse
die **Pfingsten** (*pl.*) Whitsuntide,
Pentecost
die **Pflaume**, –n plum
die **Pflicht**, –en duty
die **Phantasie**, –n imagination,
fantasy; der **Phantast**, –en,
–en visionary; **phantastisch**
fantastic
das **Photo**, –s, –s photograph; das
Photoalbum, –s, –s photograph album
der **Photoapparat**, –(e)s, –e photo
camera
pilgern (ist) to make a pil-
grimage, to wander
die **Plakette**, –n plaque
der **Plan**, –(e)s, ⁔e plan
das **Platt** Low German dialect
der **Platz**, –es, ⁔e place, a square
(in a town); space; seat
der **Poet**, –en, –en poet

politisch political
populär popular
der **Porsche** (name of a car)
die **Prachtstraße,** –n splendid
street
praktisch practical
der **Preis,** –es, –e price, cost; prize;
die **Preisverteilung,** –en
awarding of a prize
das **Preußen,** –s Prussia
der **Priem,** –(e)s chewing tobacco
der **Prinz,** –en, –en prince
der **Privatbesitz,** –es private possession
die **Privatschule,** –n private school
pro per
probieren to try, test, prove
das **Produkt,** –(e)s, –e product;
produzieren to produce
der **Professor,** –s, –en professor
profitieren to profit
das **Programm,** –(e)s, –e program
der **Protestant,** –en, –en Protestant; protestieren to protest
die **Provinzstadt,** ¨e provincial
city
provisorisch provisional,
temporary
das **Prozent,** –(e)s, –e percent
das **Prunkschloß,** – schlosses,
–schlösser luxury castle
das **Publikum,** –s, –s public, audience
putzen to clean, polish

die **Qual,** –en torment, pain
die **Quantität,** –en quantity
die **Quelle,** –n spring; source
quer oblique, diagonal

das **Rad,** –(e)s, ¨er wheel; **Rad**
schlagen to turn cart-

wheels; der **Radschläger,**
–s, – one who turns cart-
wheels
der **Radau,** –s noise, row
die **Radioaktivität** radioactivity
rammen to drive, ram in
der **Rand,** –(e)s, ¨er edge, rim,
margin
der **Rang,** –(e)s, ¨e row, tier;
rank, class
rasch quick, swift
rasten to rest
der **Rat** –es, *no pl.* advice
raten, (rät), riet, geraten
to advise; to guess; das
Rathaus, –es, ¨er town
hall; der **Rathausturm,**
–(e)s, ¨e tower of the town
hall; der **Ratsherr,** –n, –en
town councillor; der **Rats-**
keller, –s, – tavern in the
cellar of the town hall; die
Ratstrinkstube, –n tavern
in cellar of the town hall
der **Räuber,** –s, – robber; die
Räuberbande, –n gang of
robbers; der **Raubritter,** –s,
– robber baron
der **Rauch,** –(e)s smoke, soot
rauflustig pugnacious
der **Raum,** –(e)s, ¨e space, room
der **Rebell,** –en, –en rebel, muti-
neer
recht right, real, quite, very;
recht haben to be right;
rechts on the right hand,
to the right; **rechtzeitig** in
time, opportune; **recht**
geben# (*dat.*) to acknowl-
edge the truth of a person's
views, to admit that a person is right
das **Recht,** –(e)s, –e right, justice,
law

reden to speak, talk
die **Regel, –n** rule, principle, law
der **Regen –s, –** rain
regnen to rain
der **Regent, –en, –en** administrator, reigning prince
regieren to govern, rule; die **Regierung, –en** government
reich rich; **reich an** (*dat.*) rich in; **reichlich** ample, plentiful; der **Reichtum, –s, ̈er** riches, wealth
das **Reich, –(e)s, –e** empire, kingdom, realm; die **Reichsstadt, ̈e** imperial city
reichen to reach
die **Reihe, –n** row; **Reih und Glied** rank and file
reimen to rhyme
rein pure
die **Reise, –n** trip; der **Reiseführer, –s, –** travel guide; **reisen (ist)** to travel; der **Reisende, –n, –n, (ein Reisender)** traveler
der **Reiter, –s, –** horseman
die **Relativitätstheorie, –n** theory of relativity
die **Religion, –en** religion
die **Republik, –en** republic
reservieren to reserve
das **Residenzschloß, –schlosses, –schlösser** residential palace
das **Restaurant, –s, –s** restaurant
restaurieren to restore
retten to save, rescue; **über den Krieg retten** to bring safely through the war
der **Rettich, –(e)s, –e** radish
der **Rhein, –s** Rhine river; die **Rheinfahrt, –en** Rhine journey; **rheinisch** Rhenish, of the Rhine; das **Rheinland, –(e)s** Rhineland; der **Rhein-**

länder, –s, – native of the Rhineland; die **Rheinreise, –n** Rhine trip; der **Rheinstrom, –(e)s** Rhine river; die **Rheinterrasse, –n** Rhine terrace; der **Rheinwein, –(e)s, –e** Rhine wine
richtig right, correct; real
riechen, roch, gerochen to smell
der **Riese, –n, –n** giant
der **Ring, –(e)s, –e** ring; **rings around, in a circle; rings herum** round about
der **Ritter, –s, –** knight
das **Rodeland, –(e)s,** arable land; **roden** to root out, make arable
die **Rohkost** raw food
das **Rokokokostüm, –s, –e** rococo costume; das **Rokokoschloß, –schlosses, –schlösser** palace built in rococo style; das **Rokokotheater, –s, –** rococo theater
rollen to roll, revolve, circulate
der **Roman, –s, –e** novel
romanisch Romanesque, of Latin origin
die **Romantik** romanticism; der **Romantiker, –s, –** romanticist
romantisch romantic
der **Römer, –s, –** Roman; die **Römerzeit** time of the Romans; **römisch** Roman (*adj.*)
rosarot rose-red, rosy
rosten to rust; to roast
rot (röter, rötest–) red
das **Roulette, –s** roulette
der **Rubel, –s, –** rubel
rückwärts backward
rufen, rief, gerufen to call

ruhig calm, quiet

der **Ruhm,** –(e)s glory, honor, fame

rühren to touch, move, stir; **rührend** moving, affecting, pathetic

die **Ruine,** –n ruin

die **Rundkirche,** –n round church

der **Russe,** –n, –n Russian

russisch Russian (adj.)

der **Saal,** –(e)s, die **Säle** room, hall

die **Sache,** –n thing, matter, affair, fact

die **Sage,** –n legend, saga **sagen** to say, tell

der **Salat,** –(e)s, –e salad, lettuce **sammeln** to collect

das **Sanatorium,** –ien sanatorium

der **Sandstein,** –(e)s, –e sandstone; die **Sandsteinfassade,** –n sandstone facade

der **Sänger,** –s, – singer **Sankt** saint (with proper names) **satirisch** satirical

der **Satz,** –es, ⁓e sentence **sauber** clean; die **Sauberkeit** cleanliness, neatness; **säuberlich** very neat and proper

schade too bad! ; **Es ist doch schade** It is really a pity!; der **Schaden,** –s, ⁓ harm, damage

schaffen to do, make, work, be busy

schaffen, schuf, geschaffen to create, produce

der **Schah,** –s, –s shah

scharf sharp

scharren to shuffle, scrape the feet

der **Schatz,** –es, ⁓e treasure; sweetheart, love, darling; das **Schätzchen,** –s, – sweetheart

schaukeln to rock

das **Schauspiel,** –(e)s, –e play, drama; das **Schauspielhaus,** –es, ⁓er theater

scheinen, schien, geschienen to appear, seem; to shine; **es scheint mir** it seems to me

der **Scheinwerfer,** –s, – spotlight

schenken to give, to present

der **Scherz,** –es, –e jest, joke; **im Scherz** for fun

das **Scheusal,** –s, –e monster **scheußlich** horrible, hideous

schicken to send

das **Schicksalsglück,** –(e)s, good fortune of destiny; der **Schicksalsstrom,** –(e)s, ⁓e stream of destiny

schießen, schoß, geschossen (auf with acc.) to shoot; die **Schießscharte,** –n loopholes, embrasure

das **Schiff,** –(e)s, –e ship, boat; die **Schiffahrt,** –en navigation; voyage; **schiffbar** navigable; der **Schiffer,** –s, – sailor, skipper; der **Schiffsreeder** –s, – ship-owner

der **Schi,** –, er ski; **Schi-fahren** # (ist), **Schi-laufen** # (ist) to go skiing

der **Schild,** –(e)s, –e shield

das **Schinkenbrot,** –(e)s, –e ham sandwich

die **Schippe,** –n shovel

schlafen, (schläft), schlief, geschlafen to sleep; das

Schlafzimmer, –s, – bedroom

schlagen, (schlägt), schlug, geschlagen to hit, strike; **Rad schlagen** to turn a cartwheel; **die Schlagsahne** whipped cream

schlank slim, slender

der **Schlaukopf, –(e)s, ⸚e** sly, knowing fellow

schlecht bad, poor

schließen, schloß, geschlossen to close, shut

schlimm bad

der **Schlitten, –s, –** sleigh

der **Schlittschuh, –(e)s, –e** skate; **Schlittschuh-laufen#** (ist) to skate

das **Schloß, des Schlosses, die Schlösser** castle (not fortified); der **Schloßherr, –n, –en** lord of the castle; der **Schloßwein, –(e)s, –e** castle wine; der **Schloßpark, –(e)s, –e/s** park surrounding castle; die **Schloßruine, –n** ruin of the castle

schluckweise by sips, by mouthfuls

schmecken to taste; to be pleasant to the taste

schmeicheln to flatter; der **Schmeichler, –s, –** flatterer

der **Schmetterling, –s, –e** butterfly

der **Schmuck, –(e)s,** ornament, decoration; **schmuck** neat, smart; **schmücken** to decorate, trim

schmuggeln to smuggle

der **Schnaps, –es, ⸚e** brandy

der **Schnee, –s** snow; der **Schneeberg, –(e)s, –e** snow-capped mountain

schneiden, schnitt, geschnitten to cut

schnell fast, quick, rapid

das **Schnitzel, –s, –** cutlet; shred; **schnitzen** to carve, cut

schon already, all right

schön beautiful, lovely, nice, fine; die **Schönheitskönigin, –nen** beauty queen; **schönstgelegen** most beautifully situated

der **Schornstein, –(e)s, –e** chimney

schrecklich terrible, frightful

schreiben, schrieb, geschrieben to write

der **Schritt, –(e)s, –e** step, stride, pace; **auf Schritt und Tritt** with each step

der **Schriftsteller, –s, –** author

schuften (*student sl.*) to cram

der **Schuhmacher, –s, –** shoemaker; der **Schuhmachermeister, –s, –** master shoemaker

das **Schulbuch, –(e)s, ⸚er** school book, textbook

die **Schuld, –en** debt; fault, blame; **schuld daran sein** to be to blame for it

die **Schule, –n** school

der **Schutt, –(e)s** rubbish, ruins, rubble

schütteln to shake

der **Schutzmann, –(e)s, die Schutzleute** policeman

der **Schwabe, –n, –n** Swabian; das **Schwaben** Swabia; **schwäbisch** Swabian; **schwäbeln** to speak in the Swabian dialect

die **Schwäche, –n** weakness, frailty

der **Schwamm, –(e)s, ⸚e** sponge; **Schwamm drüber!** Wipe it out! Let's forget it!

der **Schwanenritter, –s, –** knight
of the swans
**schwarz (schwärzer, schwär-
zest–)** black
der **Schwedenkönig, –s, –e** Swe-
dish king
die **Schweiz** Switzerland
schwer heavy, difficult, severe;
es fällt mir schwer I find it
hard; **die Schwerindustrie,
–n** heavy industry
das **Schwert, –(e)s, –er** sword
die **Schwester, –n** sister
**schwimmen, schwamm, (ist)
geschwommen** to swim
der **Schwur, –(e)s, ⁻e** oath, vow
sechshundert six hundred;
sechzig sixty
der **See, –s, –n** lake
der **Seebär, –en, –en** sea dog, old
tar; **seefahrend** seafaring;
der **Seemann, –(e)s, –leute**
sailor
die **Seele, –n** soul
das **Segelboot, –(e)s, –e** sail boat;
das **Segeln, –s** sailing; **die
Segelregatta, –en** sailing re-
gatta
sehen, (sieht), sah, gesehen to
see; **nicht gern gesehen** dis-
liked (not looked at with
pleasure); **die Sehenswürdigkeit, –en** sight, point of
interest
sehr very, much, very much
sei *see* **sein**
die **Seife, –n** soap
sein, (ist), war, (ist) gewesen
to be
seit (*prep.*) since; for; **seitdem**
(*conj.*) since; **seitdem** (*adv.*)
since then
die **Seite, –n** side; page
selbst self; even; **selbstge-**

macht home-made; **das
Selbstportrait, –s, –s** self-
portrait
selten rare, unusual, seldom
seltsam strange, unusual, odd
das **Semester, –s, –** semester
das **Seminar, –s, –e** seminary
der **Senat, –s, –e** senate
sentimental sentimental; **die
Sentimentalität, –en** senti-
mentalism
setzen to set, place; **sich setzen**
to sit down
sicher secure, safe, sure, certain; **die Sicherheit** security,
safety, certainty
sichtlich visible, obvious
sieben seven; **siebeneinhalb**
seven and one half
die **Siedlung, –en,** settlement
sieht *see* **sehen**
sind *see* **sein**
singen, sang, gesungen to
sing; **die Singschule, –n**
singing school
der **Sinn, –(e)s, –e** sense, meaning; mind
die **Sitte, –n** custom, habit
der **Sitz, –es, –e** seat, residence;
der **Sitzungssaal, –(e)s, -säle**
assembly hall
sitzen, saß, gesessen to sit
die **Skulptur, –en** sculpture
so so, then; **so etwas** a thing
of this sort; **so wie** as
sogar even; as a matter of
fact
der **Sohn, –(e)s, ⁻e** son
solcher, solche, solches such
der **Soldat, –en, –en** soldier
solid solid, respectable, sol-
vent
sollen, (soll) sollte, gesollt

ought, should; to be sup-
posed to

der **Sommer**, –s, – summer

sondern but rather, but instead

die **Sonne** sun; **sonnen** to expose
to the sun's rays; der **Son-
nenkönig**, –s sun-king; **son-
nig** sunny

sonst otherwise, else

die **Sorge**, –n care, worry; **sorgen**
to look after, provide for

soviel(e) so or as much, many

soweit so far

sowohl as well

spartanisch Spartan

der **Spaßmacher**, –s, – joker, wag

spät late

spazieren-fahren# (ist) to
take a drive; to go out in
a car or a boat

spazieren-gehen# (ist) to take
a walk

spenden to dispense, to make
a gift of; der **Spender**, –s, –
distributor; benefactor

der **Spezialist**, –en, –en specialist;
die **Spezialität**, –en specialty

das **Spiel**, (e)s, –e play, game,
sport; die **Hand im Spiel
haben** to have a finger in
the pie; **spielen** to play; act,
perform; der **Spieler**, –s, –
gambler; player, actor; das
Spielkasino, –s, –s gambling
casino; der **Spielplan**, –(e)s,
–e repertory; die **Spieluhr**,
–en mechanical clock; das
Spielzeug, –(e)s, –e toy; die
Spielzeugfabrik, –en toy
factory; der **Spielzeugladen**,
–s, – (–) toy shop; die **Spielzeugschachtel**, –n toy kit

das **Spitzenmuster**, –s, – lace-work
pattern

der **Sportkampf**, –(e)s, –e sport
contest; **sportlich sein** to
like sports

die **Sprache**, –n language

sprechen, (spricht), sprach,
gesprochen to speak

die **Spree** Spree river; das **Spreewasser**, –s water from the
Spree river

sprengen to blow up

das **Sprichwort**, –(e)s, –er saying,
proverb

springen, sprang, (ist) ge-
sprungen to leap, jump

sprudeln to bubble, effervesce;
das **Sprudelwasser**, –s, –
mineral water (generally
sparkling)

spuken to appear; haunt, to
walk (as a ghost)

der **Staat**, –(e)s, –en state; die
Staatskasse, –n public ex-
chequer, treasury

die **Stadt**, –e city; die **Stadtbaukunst** municipal architec-
ture; das **Stadtbild**, –(e)s,
–er picture of the city; das
Städtchen, –s, – small city;
der **Städtebund**, –(e)s, –e
league of cities; die **Stadt-
freiheit** freedom of the city;
das **Stadtjugendhaus**, –es,
–er city youth hostel; der
Stadtmusikant, –en, –en
town musicians; die **Stadtplanung** city planning; der
Stadtrat, –(e)s, –e town
council; die **Stadt-Republ-
ik**, –en city-republic; der
Stadtschreiber, –s, – town
clerk; der **Stadtteil**, –(e)s,
–e part of the city; das

Stadttor, –(e)s, –e city gate;
die **Stadtverwaltung,** –en
city administration; das
Stadtviertel, –s, – district
of the city
der **Stahl,** –(e)s, –e steel; das
Stahlmöbel, –s, – steel or
metal furniture
der **Stalaktit,** –s, –en stalactite
der **Stamm,** –(e)s, ˮe stem; family,
tribe; **stammen** to come
(from), be derived
stand-halten# to withstand,
resist, to stand firm
ständig constant, fixed, estab-
lished
stark (stärker, stärkst–) strong;
severe
sich **stärken** to have a bite to eat
die **Statistik,** –en statistics
statt (*gen.*) in place of
die **Stätte,** –n place
stattlich stately, magnificent
die **Statue,** –n statue
das **Staubkörnchen,** –s, – speck of
dust
stecken to stick, put, place
stehen, stand, gestanden to
stand, to be
stehen-bleiben# (ist) to stop,
to remain standing
steif stiff, formal
steigen, stieg, (ist) **gestiegen**
to climb
steil steep
der **Stein,** –(e)s, –e stone; **gebrann-
ter Stein** brick; das **Stein-
bauwerk,** –(e)s, –e stone ed-
ifice; **steinern** stone; der
Steingigant; –en, –en gigantic stone (building); **steinig**
stony; der **Steinwein,** –(e)s,
wine grown on a stony
soil

die **Stelle,** –n place, position; **stel-
len** to place, put
**sterben, (stirbt), starb, (ist)
gestorben** to die
stets steadily, constantly
das **Stiefmütterchen,** –s, pansy
die **Stiftung,** –en foundation, in-
stitution
der **Stil,** –(e)s, –e style
still still, silent; die **Stille**
calm, silence
still-stehen# to stop
stimmen to tune, to be correct; **stimmt!** that's right!
die **Stimmung,** –en mood, spirits
der **Stock,** –(e)s, –werke floor,
story (of a building)
stolz (*auf acc.*) proud
stören to disturb
strahlen to beam, radiate
der **Strand,** –(e)s, –e beach, sea-
coast; der **Strandkorb,**
–(e)s, ˮe beach basket chair
die **Straße,** –n street, road, highway, route
strecken to extend, stretch
das **Streichorchester,** –s – string
orchestra
streiten, stritt, gestritten to
fight, quarrel, wrangle
das **Strohdach,** –(e)s, ˮer thatched
roof
der **Strom,** –(e)s, ˮe river, stream,
current; **strömen** to stream,
flock, crowd
das **Stück,** –(e)s, –e piece; play;
das **Stückchen,** –s, – a little
piece
der **Student,** –en, –en student; der
Studentenkarzer, –s, – student prison; das **Studentenleben,** –s, – student life; das
Studentenlied, –(e)s, –er
student song

die **Studentin,** –nen (woman) student
studieren to study
das **Studio,** –s, –s studio
das **Studium,** –s, –ien study, college program
die **Stufe,** –n step
die **Stunde,** –n hour
stürzen to hurl, throw, plunge
suchen to look for, seek
südlich south, southern
das **Südportal,** –(e)s, –e south door; der **Südturm,** –(e)s, ̈e south tower
das **Sumpfland,** –(e)s, ̈er swampland
das **Symbol,** –s, –e symbol
die **Symphonie,** –n symphony

das **Tafelwasser,** –s,̈ table water
der **Tag,** –(e)s, –e day; **acht Tage** a week; **täglich** daily
das **Tal,** –(e)s, ̈er valley
die **Tanne,** –n fir tree; das **Tannenreich** –(e)s, –e land of fir trees
der **Tanz,** es, ̈e dance, ball; **tanzen** to dance
tapfer brave, courageous
die **Tasche,** –n pocket
die **Tasse,** –n cup
die **Tat,** –en deed, act, action
tat _see_ tun
die **Tatsache,** –n fact
taubedeckt dew-covered
taufen to baptize, christen
tausend one thousand; **tausendjährig** thousand-year-old
das **Tausendschönchen,** –s, – daisy
die **Technik** technology
der **Teich,** –(e)s, –e pond; **der**

große Teich Atlantic Ocean
der **Teil,** –(e)s, –e part; **zum Teil** partly, in part; **teilen** to divide, share
die **Temperatur,** –en temperature
das **Tempo,** –s tempo, speed
das **Tennis** tennis
die **Terrasse,** –n terrace
teuer expensive
der **Teufel,** –s, – devil
das **Theater,** –s, – theater; **die Theaterpassion** passion for the theater
theologisch theological
die **Therapie,** –n therapy
die **Thermen** (_pl._) hot springs
der **Thron,** –(e)s, –e throne
tief deep
der **Tiergarten,** –s name of park in Berlin
die **Tiergruppe,** –n animal group; der **Tierpark,** –(e)s, –s zoological garden
der **Tisch,** –es, –e table
tja well!
die **Tochter,** ̈ daughter
der **Tod,** –(e)s, –e death
toll mad, absurd, extravagant
tönen to sound, resound
die **Tonne,** –n ton
das **Tor,** –(e)s, –e gate
die **Torte,** –n fancy cake, tart
tot dead
der **Tourist,** –en, –en tourist
die **Tracht,** –en dress, costume
die **Tradition,** –en tradition
tragen, (**trägt**), **trug, getragen** to carry; to wear
trampeln to stamp, to walk heavily
die **Träne,** –n tear
tränken to saturate
trauen (_dat._) to trust

der **Traum,** –(e)s, ⸚e dream; **träumen** to dream; **das Traum-
schloß,** –schlosses, –schlösser dream castle
traurig sad, melancholy
treffen, (**trifft**), **traf, getroffen**
to meet; to hit, strike
treiben, trieb, getrieben to
drive, push; to occupy oneself with; **Schiffahrt treiben**
to be seafaring
trennen to separate, divide
die **Treppe,** –n flight of stairs;
das Treppenhaus, –es, ⸚er
staircase
treten, (**tritt**), **trat,** (**ist**) **ge-
treten** to step
treu faithful, true, loyal
der **Trichter,** –s, – funnel
trinken, trank, getrunken to
drink; **das Trinkwasser,**
–s, – drinking water
der **Tritt,** –(e)s, –e pace, step,
tread; **auf Schritt und Tritt**
at every step
trocken dry, dull, uninteresting
der **Tropfen,** –s, – drop; **Das ist
ein Tropfen!** That's a good
one! (*ref.* to wine)
trösten to comfort, console
trotz in spite of; **trotzdem** in
spite of it, even though
die **Trümmer** (*pl.*) wreckage,
ruins, rubble; **der Trümmerhaufen,** –s, – pile of
debris
der **Trunk,** –(e)s, ⸚e drink
die **Truppe,** –n troop
tüchtig efficient, qualified,
able
tun, tat, getan to do
die **Tür,** –en door
der **Turm,** –(e)s, ⸚e tower, spire;

das **Turmpaar,** –(e)s twin
spires
typisch typical
der **Tyrann,** –en, –en tyrant

üben to practice
über over; about, concerning
überall everywhere
überbieten# to outdo, excel
über-gehen# (**ist**) to cross,
pass over; to change sides
überhängend overhanging
überhaupt in general; at all
die **Überlandstraße,** –n highway
überraschen to surprise; **die
Überraschung,** –en surprise
überlassen# to leave (to
someone else); to relinquish
überleben to outlive, survive
überragen to overtop, rise or
tower above
übersetzen to translate
überstehen# to endure, survive
übertreffen# to surpass, outdo
übertreiben# to exaggerate
überwiegend predominant
übrig left over, remaining
übrig-bleiben# (**ist**) to be left,
remain over
die **Übung,** –en practice, exercise
die **Uhr,** –en clock, watch; o'clock
um around, at, about; **um . . .
zu** in order to
der **Umbau,** –(e)s, –ten reconstruction, alteration; **um-
bauen** to build anew
um-fallen# (**ist**) to fall down,
tumble
der **Umgang,** –(e)s, ⸚e relations
(business or social), familiar
acquaintance

umgeben# to surround, to enclose
umgekehrt reversed, invert
um-wechseln to change, exchange
unabhängig independent; **die Unabhängigkeit** independence
unbedingt unconditional, absolute
unbekleidet undressed
unbescheiden immodest, bold
und and
unersetzlich irreplaceable, irreparable
unglaubhaft incredible
unglücklich unhappy
uninteressant uninteresting
die **Unschuld** innocence, purity
das **Unkraut, –(e)s, ⸚er** weed, weeds
unmöglich impossible
die **Unschuld** innocence, purity
unsichtbar invisible
unten below, at the bottom
unter (*prep.*) under; among; **unter** (*adj.*) lower
unter-bringen# to house, shelter, find a place for
unterdrücken to suppress, repress
unterhalten# to entertain, amuse
unterirdisch underground
das **Unterland, –(e)s, ⸚er** lowland(s)
das **Unternehmen, –s, –** enterprise; **der Unternehmungsgeist, –(e)s** enterprising spirit
unterrichten to teach, instruct
(sich) **unterscheiden, unterschied, unterschieden** to distinguish, differentiate; **der**

Unterschied, –s, –e difference
untertan subject to; **der Untertan, –s, –en** subject, dependent
unverändert unchanged
unverantwortlich irresponsible
unverbesserlich incorrigible, irreclaimable
unvergesslich unforgettable
üppig sumptuous, luxuriant
uralt ancient, extremely old
urbar arable, cultivated
die **Urgroßmutter, ⸚** great-grandmother
der **Urgroßvater, s, ⸚** great-grandfather

die **Variante, –n** variant
der **Vater, –s, ⸚** father; **das Vaterland, –(e)s, ⸚er** fatherland, native country
Venedig Venice
(sich) **verändern** to change, modify
verarbeiten to refine
die **Verbeugung, –en** obeisance, bow
verbieten, verbot, verboten to forbid
der **Verbrauch, –s** consumption, consuming
verbringen# to spend, pass (time)
verdanken to owe
verdienen to earn, deserve, make money; **sich das Studium verdienen** to work one's way through college
verdrängen to displace, supplant
vereinigen to unite, join; **die Vereinigten Staaten** the

United States; die Vereini-
gung, –en unification
vererben to bequeath; to
transmit (diseases, etc.)
verfallen# (ist) to decay, fall
in ruins
die Vergangenheit, –en the past
vergehen# (ist) to go by, to
pass; to perish
vergessen# to forget
vergleichen, verglich, verglichen to compare
das Vergnügen, –s, – pleasure; der
Vergnügungspark, –(e)s, –s
amusement park
vergolden to gild
verjüngen to rejuvenate
verkaufen to sell
der Verkehr, –s traffic; commerce;
das Verkehrsmittel, –s, –
means of transportation
verkleiden to disguise
verkörpern to embody, per-
sonify; die Verkörperung,
–en embodiment, personifi-
cation
verlassen# to leave; abandon
verlegen embarrassed, con-
fused, disconcerted
verleihen, verlieh, verliehen
to lend; to grant, confer
sich verlieben in (acc.) to fall in
love with; verliebt sein to
be in love
verlieren, verlor, verloren to
lose
verlockend enticing, alluring
verloren see verlieren
vermeiden, vermied, vermie-
den to avoid
das Vermögen, –s, – means, fortune, wealth; ability
vernichten to annihilate, demolish

verordnen to order, prescribe;
die Verordnung, –en prescription
verreisen (ist) to travel; verreist out of town
der Vers, –es, –e verse
verschaffen to provide, supply
verschieden different
verschlammen (ist) to get
filled or choked with mud
verschonen to spare
die Verschönerung, –en embellishment, beautification
verschwinden, verschwand,
(ist) verschwunden to dis-
appear, vanish
versorgen to provide, supply,
furnish
verspielen to lose, gamble
away
versprechen# to promise;
sich versprechen to make a
mistake in speaking
verstehen# to understand
verteilen to distribute; to
award
vertragen# to tolerate, endure; sich vertragen to get
on well together, to be com-
patible
verträumt dreamy, sleepy
vertreiben# to drive away
verwunschen (p.p.) enchanted
die Verwüstung, –en devastation
verzaubern to charm, en-
chant, bewitch
die Verzeihung pardon
viel, (mehr, meist–) much;
viele many
vielleicht perhaps
vier four; das Viertel, –s, –
quarter; district
die Villa, –en villa
die Violine, –n violin

das Volk - das Wappen xlii

das **Volk**, –(e)s, ⸚er people, race,
folk, nation; das **Volkslied**,
–(e)s, –er folk song; der
Volksstamm, –(e)s, ⸚e tribe;
der **Volkswagen**, –s, – name
of a car (*lit.* 'people's ˌcar')
voll full, filled; **völlig** entire,
complete
vollbringen# to accomplish,
achieve, carry out
vollkommen perfect, complete
der **Vollmondschein**, –(e)s light of
the full moon
vollschlank on the plump side
von of, from, in, by
vor before, in front of; ago;
vor allem above all, first of
all; **vor sich hin** to oneself
voran forward, in front;
immer langsam voran go
slow!
voran-gehen# (ist) to go
ahead
vorausgesetzt provided that
vorbei past, over, done with
vor-dringen, drang vor, (ist)
vorgedrungen to advance,
reach
der **Vorfahr**, –en, –en ancestor
vor-gehen# (ist) to go before,
to precede; to happen
die **Vorhalle**, –n vestibule
der **Vorhang**, –(e)s, ⸚e curtain
vorher (*adv.*) before
vorig former, last, previous
vor-kommen# (ist) to happen, occur
das **Vorkriegsjahr**, –(e)s, –e pre-
war year
die **Vorkriegszeit**, –en pre-war period
vor-lesen# to read aloud; die
Vorlesung, –en lecture

die **Vorliebe**, –n preference, parti-
ality
der **Vorname**, –ns, –n first name
der **Vorort**, –(e)s, –e suburb
vor-schlagen# to suggest
vor-schreiben# to prescribe,
order, direct
die **Vorsicht** foresight; caution
vorstellen to introduce; **sich**
(*dat.*) **vorstellen** to imagine
die **Vorstellung**, –en performance, presentation; image,
conception
vorüber gone by, finished,
done with
vorüber-fahren# (ist) to go
past; **vorüberfahrend** pass-
ing
vorwärts forward
vor-ziehen# to prefer
vorzüglich first-rate, superior

wach-rufen# evoke
wachsen, (wächst), **wuchs**,
(ist) **gewachsen** to grow
der **Wachtturm**, –(e)s, ⸚ watch-
tower
wagen to dare, venture, risk
wählen to choose, elect
wahr true; **nicht wahr?** isn't
it?, is it not so?; die **Wahrheit**, –en truth
wahrscheinlich probably
der **Wald**, –(e)s, ⸚er forest, woods
der **Wall**, –(e)s, ⸚e rampart
die **Wallfahrtskirche**, –n pilgrim
church
die **Wand**, ⸚e wall
die **Wanderlust** desire to travel
wandern (ist) to travel, roam,
to hike
das **Wappen**, –s – coat-of-arms
war *see* **sein**

warm (wärmer, wärmst–)
warm
warten (*auf with acc.*) to wait
(for)
warum why
was what; was für (*indecl.*)
what kind of
waschecht fast (in color); genuine, dyed-in-the-wool
waschen, (wäscht), wusch, gewaschen to wash
das Wasser, –s, – water; der Wasserfall, –(e)s, ⁼e waterfall;
die Wasserkompresse, –n
wet compress, bandage; der
Wasserkurort, –(e)s, –e resort for hydrotherapy; das
Wassertrinken, –s drinking
of water
die Waterkant (Low German) sea
coast
weg-schnappen to snatch
away, carry off
die Wegzehrung, –en a snack for
a trip
wehen to blow, flutter, wave
der Wehrgang, –(e)s, ⁼e covered
walk
weiblich feminine, female
weiden to graze
die Weihnachten (*pl.*) Christmas;
zu Weihnachten for Christmas der Weihnachtsbaum,
–(e)s, ⁼e Christmas tree; die
Weihnachtsbude, –n booth
at the Christmas Fair; die
Weihnachtszeit Christmas
time, season
weil because
die Weimarer Republik Weimar
Republic founded after
World War I
der Wein, –(e)s, –e wine; der
Weinberg, –(e)s, –e vineyard on a hillside; das

Weindorf, –(e)s, ⁼er village
in wine-growing area; der
Weingarten, –s, ⁼ vineyard;
die Weinkarte, –n wine list;
der Weinkeller, –s, – wine
cellar; die Weinlese, –n vintage; die Weinsorte, –n
kind of wine; die Weinstube, –n wine tavern
die Weisheit, –en wisdom, knowledge, learning
weiß *see* wissen
weiß white; der Weißwald,
–(e)s, ⁼er white forest; das
Weißwürstl, –s, – a sausage made in Bavaria
weit far, distant
welcher, welche, welches
which, what, who
die Welt, –en world; aus aller
Welt from all over the
world; zur Welt kommen to
be born; weltlich secular, of
the world; weltberühmt
world famous; der Weltbürger, –s, – citizen of the
world; der Weltkrieg, –(e)s,
–e world war; die Weltreise, –n trip around the
world
wenig little; wenige (*pl.*) few;
wenigstens at least
wenn when, if, whenever
wer who, whoever
werden, (wird), wurde, (ist)
geworden to become
werfen, (wirft), warf, geworfen to throw
das Werk, –(e)s, –e work, production; der Werkführer, –s, –
foreman; der Werkstudent,
–en, –en student working his way through college
wertvoll valuable

die **Weser** Weser river
der **Westchor,** –(e)s west choir
das **Westdeutschland,** –s West Germany
westlich western
der **Wettkampf,** –(e)s, ⸚e contest, match
wichtig important
wie how; as, like; as though; **wieviel(e)** how much (many)
wieder again
der **Wiederaufbau,** –(e)s reconstruction; **wiederauf-bauen** to rebuild
wiedererreichen to reach again
wiedererstehen# (ist) to arise again
wiederholen to repeat
wieder-kommen# (ist) to come back, again
wieder-sehen# to see again
wiederher-stellen to restore
die **Wiedervereinigung,** –en reunification
Wiener Viennese
die **Wiese,** n– meadow
die **Wildnis,** –se wilderness
will *see* **wollen**
willkommen welcome; das **Willkommen,** –s welcome
der **Wind,** –(e)s, –e wind
winklig twisted
der **Winter,** –s, – winter; der **Winterurlaub,** –s, –e winter leave of absence, furlough
winzig tiny, diminutive
wirken to give the effect
wirklich real, really; die **Wirklichkeit,** –en reality
die **Wirtschaft** economy; das **Wirtschaftswunder,** –s, –

miracle of economic recovery
wissen, (**weiß**), **wußte, gewußt** to know; **nichts wissen wollen** not want at all to hear of, want to ignore; die **Wissenschaft,** –en science
die **Witwe,** –n widow
der **Witz,** –es, –e joke, wit; **witzig** clever, witty
wo where; when; **woher** from where; **wohin** whither, where; **wovon** from what, about what; **wozu** why, for what purpose
die **Woche,** –n week; **wochenlang** for weeks
wohl well, good;## probably; **wohlhabend** wealthy, well-to-do
wohnen to dwell, reside; das **Wohnhaus,** –es, ⸚er residence, dwelling, apartment house; das **Wohnhochhaus,** es, ⸚er tall apartment house; die **Wohnsiedlung,** –en housing development; die **Wohnung,** –en dwelling, residence
der **Wolkenkratzer,** –s, – skyscraper
wollen, (**will**), **wollte, gewollt** want, wish; intend to; **er will damit sagen** he means by that
das **Wort,** –(e)s, ⸚er –e word
die **Wunde,** –n wound
das **Wunder,** –s, – wonder, miracle; **wunderbar** wonderful, marvelous; **wundern** to wonder, marvel at; **sich wundern** to be surprised, to wonder; **wunderschön** beautiful; das **Wunder-**

werk, –(e)s, –e marvelous work, wonder

wünschen to wish

würdig worthy, estimable

das Würstchen, –s, – little sausage

wußte *see* wissen

die Zahnradbahn, –en cog railway

das Zarenreich, –(e)s, –e empire of the tzars

die Zauberin, nen sorceress, witch, enchantress; der Zauberschlaf, –(e)s, enchanted sleep

z. B. (*abbr.*) zum Beispiel for example

zehn ten

zeigen to show, point out

die Zeit, –en time

die Zeitung, –en newspaper

die Zeitschrift, –en periodical, magazine, journal

die Zelle, –n cell

das Zentrum, –s, Zentren center

zerbrechen# to break to pieces; sich den Kopf zerbrechen to rack one's brains

die Zeremonie, –n ceremony

zerstören to destroy, ruin; die Zerstörung, –en destruction

das Zeugnis, –ses, –se testimony, evidence; certificate

der Ziegelbau, –s, –ten brick building

ziehen, zog, gezogen to draw, move, pull

die Zigarre, –n cigar

das Zimmer, –s, – room

die Zinne, –n battlement, crenellation

Zisterzienser Cistercian

die Zivilisation, –en civilization

der Zoll, –(e)s, ⁼e toll, duty; die Zollerklärung, –en customs declaration; die Zollstation, –en toll station; der Zollturm, –(e)s, ⁼e toll tower

die Zone, –n zone

der Zopf, –(e)s, ⁼e braid of hair

zu to, toward, at, for; closed, locked; too

zueinander to each other

zufrieden satisfied

der Zug, –(e)s, ⁼e train; draught, pull (drinking); der Zug der Zeit the trend; die Züge (*pl.*) features

die Zugabe, –n extra, supplement

der Zugang, –(e)s, ⁼e access, approach

zu-geben# to admit, grant, concede

zu-gehen# (ist) to go on, happen; Da muß es ja wirklich lustig zugehen! They must really have a lot of fun there!

zugleich at the same time

zugute-kommen# to be beneficial to

der Zuhörer, –s, – listener; (*pl.*) audience

zu-lassen# to admit, permit, grant; to leave closed

zu-machen to close

zumindest at least

zumute sein# to feel; es ist mir wohl zumute I feel fine

zunächst at first; first of all

die Zunge, –n tongue; auf der Zunge haben to taste

sich zurecht-finden to find one's way

zurück-versetzen to put back, to transplant back into

zusammen together